MUDAR

CIP-BRASIL. CATALOGAÇÃO NA PUBLICAÇÃO
SINDICATO NACIONAL DOS EDITORES DE LIVROS, RJ

G391m
Gikovate, Flávio
Mudar: caminhos para a transformação verdadeira / Flávio Gikovate. - São Paulo : MG Editores, 2014.
152 p. : il.

ISBN 978-85-7255-109-0

1. Psicologia. I. Título.

14-12811 CDD: 155
CDU: 159.92

MUDAR

Caminhos para a transformação verdadeira

Flávio Gikovate

MUDAR
Caminhos para a transformação verdadeira

Editora executiva: **Soraia Bini Cury**
Assistente editorial: **Michelle Neris**
Capa: **Alberto Mateus**
Projeto gráfico e diagramação: **Crayon Editorial**

MG Editores
Departamento editorial
Rua Itapicuru, 613 – 7º andar
05006-000 – São Paulo – SP
Fone: (11) 3872-3322
Fax: (11) 3872-7476
http://www.mgeditores.com.br
e-mail: mg@mgeditores.com.br

Atendimento ao consumidor
Summus Editorial
Fone: (11) 3865-9890

Vendas por atacado
Fone: (11) 3873-8638
Fax: (11) 3872-7476
e-mail: vendas@summus.com.br

Impresso no Brasil

introdução

Esta história começou com uma pergunta que fiz a mim mesmo a propósito do tema de um evento do qual eu participaria falando sobre o que é qualidade de vida e como se constroem hábitos saudáveis. A pergunta, que já deveria ter me ocorrido há muito tempo, uma vez que deparo com o problema todos os dias é: por que, na prática, quase sempre é tão difícil mudar?

Uma questão aparentemente simples desencadeou em minha mente um amontoado enorme de reflexões que me pareceram bem relevantes e justificaram a elaboração deste texto. É incrível como evitamos pensar de modo claro e objetivo sobre assuntos cotidianos. Como profissional, encontro há quase 50 anos pessoas insatisfeitas consigo mesmas e ansiosas por mudar algumas de suas posturas diante de situações objetivas ou subjetivas. É fato que o desejo de mudar é, por vezes, aparente e surge em função de circunstâncias externas à própria pessoa. Por exemplo, muitos casais que procuram terapia o fazem para tentar encontrar um modo de convívio sem ter de mudar efetivamente – isso quando não pretendem achar uma forma de mudar o parceiro! Mas também é fato que muitos são os que querem mudar algo em si mesmos e não têm sido competentes para isso.

O tema parece simples, mas à medida que me voltei para ele a complexidade ganhou terreno e mostrou suas garras. A primeira constatação que me surgiu foi a da precariedade dos instrumentos e estratégias para a mudança que nós, terapeutas da mente, dispomos. Como se isso já não fosse dramático, ainda por cima existem várias correntes que propõem tratamentos específicos e desdenham as outras, dirigindo-se a seus defensores como rivais e, por vezes, como inimigos. Alguns profissionais falam, de modo altivo, dos progressos de seu ramo de estudo como se estivéssemos próximos de descobrir como funcionam o nosso psiquismo e suas conexões com o sistema nervoso central. Outros se vangloriam de resultados específicos com seus fármacos; outros fazem a apologia de suas estratégias psicoterapêuticas – todas elas portadoras de alguma eficiência, porém certamente menor do que a cantada por seus defensores.

Sei muito bem quão precárias são nossas armas, como é difícil separar o que é inato do que é adquirido, o que é mutável do que não o é; sei bem quanto as atividades do sistema nervoso interferem no modo como pensamos. O inverso também é verdadeiro, sendo poucos os que questionam o fato de que a forma como pensamos, nossas esperanças e expectativas também interferem no funcionamento cerebral. Um exemplo esclarecedor tem relação com o chamado "efeito placebo": certas pílulas usadas pelos médicos, de início, mais para agradar a seus pacientes do que com finalidade terapêutica, podem produzir efeitos positivos e eficazes mesmo sobre doenças orgânicas indiscutíveis – sendo a representação cerebral de sua eficácia comprovada por ressonâncias magnéticas feitas com contraste. Ou seja, o estado físico e químico do sistema nervoso interfere na maneira como pensamos – e a recíproca também é verdadeira! Fica cada vez mais claro, para mim, que as interações são complexas e qualquer tomada de partido a favor desse ou daquele ponto de vista representa ingênua simplificação.

Tenho me detido muito numa questão que considero fundamental para quem, como eu, pretende contribuir para elucidar as dificuldades que todos encontramos em mudar: como nos tornamos quem somos? Como nos tornamos "nós mesmos"? Somos fruto de nossas predisposições genéticas? Nascemos com determinadas propriedades das quais não pudemos nem poderemos nos livrar? Tudo em nós é mutável, dependendo da família em que nascemos e do ambiente sociocultural ao qual pertencemos? Quanto daquilo que somos depende de nossas predisposições inatas e quanto deriva da educação que tivemos? Nós interferimos no processo que determinará quem seremos?

O Capítulo 1 trata das considerações que fui capaz de fazer acerca de como nos tornamos aquilo que somos. Tentarei encaminhar meus pensamentos de forma aberta, buscando contemplar todas as possibilidades, não me deixando aprisionar por nenhuma das hipóteses teóricas que povoaram o território da psicologia do século XX – e ainda estão aí querendo se perpetuar como dogma. Penso que só podemos chamar de ciência um sistema aberto e eternamente incompleto, no qual hipóteses e ideias vêm e vão, sendo sempre substituídas por outras mais abrangentes.

O verdadeiro espírito científico é próprio daqueles que não só não temem o mar de dúvidas como gostam de mergulhar nele, do qual saem com hipóteses que tentam responder a novas questões que surgem em sua mente de modo contínuo. Todo saber é temporário, sendo isso particularmente verdadeiro num terreno como o da psicologia, no qual, de forma direta, sofremos a influência do ambiente em que vivemos. Nós, os humanos, somos portadores de uma inquietação mental que determina a geração de ideias das quais derivam criações que, produzidas em escala, interferem diretamente no nosso hábitat. Como todos os seres, temos de nos adaptar ao ambiente sobre o qual nós mesmos interferimos, gerando contínuas e importantes alterações. Ao nos adaptarmos ao que criamos e inovamos, forçosamente estaremos, nós também, em permanente mudança – e nem sempre o termo "evolução" é o que melhor descreve esse processo.

Por mais que um pesquisador, qualquer que seja sua área, esteja sempre em busca de algumas explicações universais e eternas, é pouco provável que encontre mais que uma ou outra. Ou seja, a grande maioria das reflexões do mais genial dos cientistas será datada e terá prazo de validade definido. O sonho das verdades absolutas parece nos perseguir desde sempre. Porém, devemos ser cautelosos e não nos deixar iludir com facilidade:

além de se tratar de uma proposta com poucas chances de se realizar, ainda pode retardar ou mesmo interromper o processo evolutivo daquela ciência.

O tema da mudança é extremamente complexo mesmo em seus aspectos mais singelos e imediatos. As pessoas dizem com frequência que querem muito mudar, mas quando se pergunta a elas exatamente o que desejam modificar em sua forma de ser, se postar, pensar ou agir, muitas delas titubeiam e não sabem o que responder. Esse será o tema do Capítulo 2, cuja pretensão é a de discutir quem são as pessoas que efetivamente querem mudar e quais são as razões pelas quais tantos se confundem diante da pergunta objetiva e direta acerca do que não gostam em si.

Não deixa de ser impactante considerar que carregamos características que não apreciamos e das quais gostaríamos de nos livrar. As perguntas que se seguem são: não conseguimos mudar porque gostaríamos de alterar algo impossível de ser mudado, qual seja, alguma propriedade inata e biologicamente definida? Gostaríamos de mudar determinado traço psicológico que já se tornou, em virtude da sucessiva repetição, um trajeto pavimentado e autônomo no sistema nervoso central? Nosso anseio seria de que a mudança viesse a acontecer graças a algum mecanismo mágico, ou seja, sem nenhuma esforço ou sacrifício? Ou, ainda, será que queremos mesmo mudar? Cabe perguntar também se estamos preparados para enfrentar os inevitáveis revezes que certamente surgirão ao longo do percurso de mudança.

Essas questões são relevantes, uma vez que me incluo entre os que acreditam que, em certa medida, temos controle racional sobre tudo que não nos é dado de forma definitiva pela biologia. Acho que uma pessoa que ingere alimentos em excesso e detesta ficar gorda dispõe dos meios para se controlar mas, por inúmeras razões, não tem conseguido exercer o domínio adequado sobre si mesma. É intrigante e estimulante perceber como não somos capazes de gerir muitos dos nossos anseios, em especial aqueles que entram em confronto com outros desejos que não podem coexistir: para inúmeras pessoas, não é possível conciliar os prazeres da gastronomia farta com o prazer estético de ter uma aparência física que corresponda ao seu melhor.

Muitos dizem que querem mudar, mas só o fazem de forma demagógica, para continuar a obter benefícios e facilidades que seu modo de ser é capaz de angariar. Assim, uma pessoa mais egoísta pode declarar que deseja se modificar; porém, ela não deve ser levada a sério quando tal discurso surge apenas diante do fato de estar prestes a perder alguns privilégios – como acontece quando alguém, mais generoso, decide parar de favorecê-la. Como não se trata de genuíno anseio de mudança, é claro que não redundará em nenhum tipo de alteração efetiva no modo de ser da pessoa. No máximo será uma alteração de curto prazo, com o intuito de aplacar a insatisfação do interlocutor; tais posturas são extremamente frequentes nas relações conjugais, nas quais muitas vezes não existe nenhum desejo sincero de mudança por parte daquele que se declara disposto a isso.

Expressões do tipo "Tenho meus defeitos; afinal, todo mundo tem" são muito genéricas e indicam total falta de disposição para qualquer tipo de mudança. Ao afirmar que todos têm defeitos, a pessoa tenta se eximir de qualquer empenho para se livrar de alguns dos seus. Tais frases prestam grande desserviço à psicologia e deveriam desaparecer da mente e da boca das pessoas de bem, pois quem reconhece ter algum defeito deveria procurar com afinco eliminá-lo – e não se consolar com o fato de todos terem os seus.

O Capítulo 3 trata dos objetivos que podem motivar uma pessoa a mudar. Se qualquer alteração no nosso modo de ser implica algum tipo de empenho e desgaste, com idas e vindas, avanços e recaídas, que reais motivações ajudariam uma pessoa a se empenhar e efetivamente percorrer o trajeto árido que pode levar a mudanças? Os movimentos concretos na direção das transformações podem estar relacionados com o propósito de dar fim a algum tipo de sofrimento ou dor, e essa talvez seja uma motivação bem convincente para quase todas as pessoas. Se ficar claro para alguém que abandonar determinado comportamento redundará no alívio de um desconforto, é possível que ela se empenhe com afinco nessa direção. Fugir da dor é parte dos nossos impulsos mais primitivos; compõe os mecanismos ligados à sobrevivência.

Outras vezes, o empenho de uma pessoa na direção da mudança tem que ver com a busca de recompensas percebidas como muito interessantes e adequadas – e bem maiores do que os sacrifícios relacionados com a renúncia a dado comportamento. Esse equilíbrio – ou desequilíbrio – entre esforços e recompensas tem repercussões orgânicas, especialmente no que diz respeito ao abandono do consumo de certas drogas psicoativas. Não é bom subestimar as dificuldades a ser enfrentadas, por exemplo, por dependentes químicos que, mesmo desejando abandonar o consumo de determinada droga, terão de se haver não só com o abandono da dependência psicológica como também com a de natureza física, por vezes capaz de gerar dramáticas crises de abstinência. As recompensas relacionadas com o abandono de um vício são óbvias; porém, o sacrifício pode ser de tal monta que a pessoa, mesmo bem-intencionada, não consiga suportar sem apoio externo adequado.

Muitas vezes, as recompensas virão bem depois de iniciado o período que envolve sacrifícios e mudanças, e nem todos têm competência para operar em médio ou longo prazo. Um estudante que, até dado momento, é displicente e medíocre e decide seguir uma carreira exigente pode muito bem se modificar e se transformar em aluno exemplar ainda que venha a colher os frutos do seu esforço muitos anos depois. Isso, é claro, além das recompensas que poderá obter ao longo do percurso – tanto reconhecimento e admiração dos que os cercam como orgulho íntimo por ser capaz de tão árduo sacrifício.

Muitas são as questões que envolvem as motivações que levam alguém a se decidir pela mudança. Elas dizem respeito, entre outros aspectos, ao papel da razão – que, pela via da ação disciplinada e, por vezes, ousada, gera as forças necessárias para um avanço no modo de ser desejado pela própria pessoa. Isso nos leva direto para o capítulo seguinte, o de número 4, no qual faço observações que considero relevantes sobre o processo de mudança. A primeira delas ainda tem que ver com a motivação: somos movidos mais que tudo por nossos próprios anseios ou estamos sob influência ou pressão de outras pessoas – ou de um grupo social específico?

Quando alguém se dispõe a mudar de vida no aspecto econômico, tornando-se mais discreto e pouco voltado ao exibicionismo, talvez isso se deva a alterações ocorridas em suas convicções sobre como vinha administrando sua vida prática e material; poderá acontecer também em decorrência de uma alteração no seu grupo social, passando a frequentar gente mais despojada e não se sentindo à vontade para exercer o estilo de vida a que estava habituado. Uma coisa poderá se dar em função da outra: alguém se dispõe a mudar de estilo de vida na direção da simplicidade e vai em busca de um ambiente no qual essa seja a regra. Nem sempre mudar o contexto social configura o que, em psicologia popular, se costuma chamar de "fuga"; por vezes, é um sofisticado ato de bom senso!

Um elemento fundamental para que os processos de mudança se tornem efetivos tem que ver com a existência – ou não – de uma visão clara do que a pessoa pretende mudar: ela deseja deixar de ser alguma coisa e precisa ter definido o projeto acerca do que quer ser. Muitas vezes, a pessoa sabe melhor o que não quer mais para si do que o que efetivamente gostaria de ser ou ter. Esse estado é um tanto doloroso, pois não se consegue deixar de ser o que é sem passar a ser de outra forma. O indivíduo pode saber que não quer mais exercer aquele dado ofício; porém, experimentará algum sofrimento e tédio por determinado período, uma vez que nenhuma mudança se iniciará enquanto ele não vislumbrar outra possibilidade e conseguir ir atrás dela (isso, é claro, para aqueles que não podem se permitir abandonar uma atividade antes mesmo de se dedicar a outra empreitada, o que corresponde à grande maioria; ainda assim, pouquíssimos dos que ficam desocupados por muito tempo não se deprimem).

Por vezes, a pessoa sabe o que não quer mais, sabe aonde quer chegar, mas não se reconhece com forças para fazer a transição. Isso é bem comum no plano da vida conjugal: alguém sabe que não quer mais permanecer casado com seu parceiro, mas acha que não consegue ficar só. Acaba por se acomodar na situação de malcasado por um tempo longo, da qual só sairá quando for capaz de se desenvolver e vir a ter a força necessária para viver sozinho; ou se encontrar, ainda casado, um novo parceiro que lhe pareça adequado.

Não são raras as ocasiões em que a pessoa não quer mais viver dada situação e sabe muito bem o que pretende como mudança, mas lhe faltam os meios concretos. Limitações econômicas podem impedir um indivíduo de mudar de cidade, de trabalho, de abandonar um casamento insatisfatório etc. Questões de saúde podem limitar as forças de alguém que teria gosto em praticar mais atividades físicas. Limitações de tempo podem impedir ou dificultar as pessoas de fazer determinados cursos – de dança, de aprendizado de um instrumento musical – pelos quais anseiam e dos quais extrairiam grande satisfação.

Nem sempre é fácil para um adolescente, um jovem adulto – ou um indivíduo em qualquer idade – saber exatamente "o que quer ser quando crescer". Não é fácil definir as rotas que levam dada pessoa ao máximo de felicidade que ela pode pretender em seu contexto real. Não é fácil discernir entre a busca de serenidade ou de sucesso. Não é simples definir exatamente o que é ser uma pessoa feliz, nem quais são as propriedades exatas de alguém emocionalmente maduro. Além disso, cabe lembrar de novo que nem tudo que desejaríamos conseguir está ao nosso alcance – limitante que deve ser tratado como obstáculo intransponível, como algo que, de alguma forma, nos caracteriza e define.

De posse de todos esses dados, poderemos finalmente chegar ao Capítulo 5, talvez o mais relevante e difícil: "Como mudar?" Espero ter sido claro ao afirmar que devemos ter razoável ciência de quem somos, do lugar aonde queremos chegar, do motivo do nosso pleito e se realmente desejamos mudar ainda que isso implique sacrifício, tempo e algum desconforto, além de tolerância às inevitáveis idas e vindas próprias de qualquer tentativa de avanço concreto. As estratégias de mudança à disposição dos profissionais da área de psicologia e afins serão tratadas de modo bem genérico neste livro, que não pretende ser um manual prático direcionado apenas aos profissionais da área. Algumas estratégias capazes de ajudar as pessoas a mudar serão delineadas, mas apenas com o intuito de ilustrar como o conhecimento adequado de si mesmo pode contribuir para que um indivíduo consiga avançar naquilo que efetivamente deseja. A intenção é clara: mostrar como é difícil mudar mesmo para aqueles que desejam muito se transformar, e como é impossível quando não é esse o caso. Espero que fique evidente a enorme dimensão das dificuldades dos que trabalham na área e querem sinceramente conseguir ajudar seus pacientes. Afinal, a única coisa fácil no mundo é fazer críticas!

As várias dificuldades foram as razões que sempre me levaram a ter uma visão eclética da profissão; nunca abri mão de nenhum tipo de recurso disponível para otimizar as chances de ajudar uma pessoa a realizar o seu projeto existencial. Interrompo neste ponto as considerações acerca desse capítulo, deixando o leitor em suspense, uma vez que é o mais relevante e deve ser tratado com cautela e rigor justamente para evitar mal-entendidos.

O último capítulo, o de número 6, é antigo conhecido dos que têm me acompanhado e não pode faltar em projetos dessa natureza, todo ele voltado para ajudar as pessoas a avançar em seus projetos de mudança. O sucesso em qualquer empreitada esbarra sempre num último e inesperado obstáculo: o medo da felicidade! Qualquer processo bem-sucedido de mudança gerará alegria e bem-estar àqueles que forem capazes de realizar a façanha ansiada. Eles vão deparar com esse medo estranho que parece nos ameaçar de morte cada vez que conseguimos algum avanço. Esse obstáculo também terá de ser encarado e, se não definitivamente superado, pelo menos mantido sob controle.

Mudar

1 um
COMO NOS TORNAMOS "NÓS MESMOS"?

Ao tratar da formação da nossa identidade, estamos diante de um dos assuntos mais controversos da psicologia. Os pontos de vista são os mais diversos e variam da ênfase exagerada nas nossas predisposições inatas – e principalmente hereditárias – à minimização desses aspectos, dando a entender que somos, mais que tudo, dependentes da nossa formação cultural e do contexto familiar no qual crescemos. Meu posicionamento, também aqui, é o de tentar operar com todas as possibilidades em vez de excluir alguns ângulos da questão e privilegiar uma das rotas como essencial. Por vezes me surpreendo com a forma de pensar de muitas pessoas; elas parecem incapazes de operar com mais de uma variável ao mesmo tempo.

Não vejo como excluir nenhum dos elementos que participam do nosso processo de formação. Na verdade, minha intenção é a de agregar mais alguns "ingredientes" aos que influenciam a constituição da identidade de cada um de nós. Penso que a disputa que ainda hoje reina entre muitos profissionais de psicologia, qual seja, a do primado da nossa biologia ou da cultura em que crescemos, é um tanto primária; parece-me óbvia a influência de ambos os componentes. Além disso, considero que levar em conta apenas esses aspectos é absolutamente insuficiente para que possamos, um dia, ser capazes de entender melhor como nos tornamos "nós mesmos".

Vamos começar pelo princípio: ao nascermos, nosso sistema nervoso central, aquilo que aqui chamaremos de cérebro, está em estado bem avançado de desenvolvimento – necessitando, é claro, de alguns avanços, em especial nas áreas que comandam a atividade motora. O cérebro está, em tese, formado, mas não contém quase nenhuma informação. Numa metáfora que esclarece, mas não agrada aos estudiosos, nascemos com o *hardware* quase formado, mas sem *software*.

As peculiaridades de cada cérebro já se manifestam desde o primeiro instante. Algumas crianças lidam melhor com o "trauma do nascimento" (Otto Rank) e, apesar de nascerem em pânico, mais ou menos rapidamente se adaptam aos aconchegos oferecidos e aceitam com mais docilidade a transição "para pior" que corresponde à saída do útero e à chegada ao nosso mundo. Outras, mais reativas e talvez mais intolerantes, passam chorando boa parte dos primeiros meses de vida. É provável que isso dependa mais das propriedades biológicas do que do tipo de aconchego com que as crianças são recebidas por aqui – embora essa variável também não deva ser subestimada. Desde cedo, algumas crianças se mostram mais medrosas e outras, mais ousadas. Também é fato que algumas parecem nascer convencidas de que os humanos são animais perigosos, de modo que viram a cara assustadas e chorosas diante de todo e qualquer personagem novo que lhes aparece pela frente. Outras, talvez menos medrosas e mais confiantes, sorriem para os estranhos, percebidos como criaturas cordiais. Esses são apenas alguns exemplos de diferenças que podem ser notadas nos primeiros tempos de vida de uma criança e, penso, têm mais relação com suas propriedades cerebrais inatas.

O desenvolvimento de cada criança costuma se dar no seio de um núcleo familiar, que, embora nem sempre seja constituído da forma tradicional, tende a ser composto por alguns adultos cuidadores. Essas criaturas são as que acolhem o bebê, tentam adivinhar as razões dos choros e desconfortos, tratam de evitar que passem fome ou sede, cuidam de sua higiene etc. Tudo isso é vivenciado como aconchego, palavra-chave que define o primeiro anseio de um ser que nasce totalmente desamparado, sem condição nenhuma de sobreviver por si. São essas mesmas pessoas que transmitem ao novo membro da família as primeiras informações: ele aprende a reconhecer sinais de aprovação ou reprovação no rosto delas; recebe objetos para se entreter; ganha uma chupeta com a finalidade de atenuar sua sensação de desamparo...

Com o passar dos meses, a criança percebe que a cada objeto corresponde um som. Aprende a reconhecer os sons e a dar sinais de que sabe o que representam: está fazendo as primeiras associações, condição necessária para que, mais tarde, possa se valer desses sons para indicar a vontade de obter os objetos correspondentes.

Começa, pois, a reconhecer as palavras e a aprender a usá-las. Quem acompanhar com atenção esses primeiros passos pelos quais a criança se apropria da linguagem típica de sua cultura vai se maravilhar com a formação do "embrião" de uma nova mente que, em breve, começará a se envolver em atividades cada vez mais sofisticadas: virão as frases simples, as mais complexas – enfim, tudo que constituirá a mente no exercício de suas funções.

A mente, nosso *software*, constitui-se, pois, em função do contexto em que cada criança cresce. A língua a ser aprendida é aquela própria da cultura na qual está inserta a família, que, de perto, a acolhe e a acompanha. Por vezes, será uma língua diferente daquela usada pelo ambiente cultural mais amplo: imigrantes japoneses que chegaram ao Brasil no início do século XX, por exemplo, ensinaram os filhos a falar japonês; o português foi aprendido na escola. O tema é relevante, pois na estrutura de cada língua estão impressos certos aspectos de como construímos a formatação lógica dos pensamentos, sendo provável que isso determine a ativação de diferentes áreas do cérebro. Retomarei esse assunto mais adiante.

A mente se forma por meio da aquisição da linguagem e, com base em certa quantidade de informações acumuladas, pode se dedicar a atividades cada vez mais complexas e sofisticadas. O modo como vai operar dependerá muito, creio, das propriedades de cada cérebro. Afinal, são cerca de 100 bilhões de neurônios, arranjados de uma forma nem de longe totalmente conhecida e cujo potencial de utilização ainda não é claro.

Assim, é bem pouco provável que todos os *hardwares* sejam idênticos; talvez sequer sejam parecidos. Com o mesmo volume de dados presentes na mente, cada cérebro poderá determinar um uso peculiar e dependente de suas propriedades anatômicas e químicas. O cérebro, bem formado e ativo – como citei – mesmo antes da constituição da mente, está e estará presente em todas as etapas da nossa formação. Não convém desconsiderar sua influência em momento nenhum da vida.

Ao mesmo tempo, não me parece nada adequado desconsiderar o peso da cultura em que cada criança nasce e se desenvolve. A cultura insere-se em sua mente por intermédio da linguagem, dos usos e costumes, da forma como as pessoas se vestem, da maneira como lidam com as grandes questões da existência pela transmissão de práticas religiosas específicas etc. Cada ambiente tem seus valores e propriedades, de modo que muitos dos termos usados em dada língua não têm correspondência em outras; eles descrevem propriedades tratadas de modo diverso em outras culturas. O tipo de música que cada povo produz reflete muitas das suas características. Sei avaliar também o peso de culturas mais hegemônicas, que interferem exportando suas músicas, seus hábitos alimentares... Porém, elas raramente apagam por completo as propriedades específicas de cada grupo. Não convém sequer minimizar a importância das tensões que surgem entre diferentes povos, seu caráter explosivo e gerador de intermináveis conflitos ao longo dos milênios de nossa história.

Biologia e cultura formam, a meu ver, um dueto inseparável. Não há como, em muitos momentos, isolar ou detectar o peso de cada um desses componentes. Também não vejo necessidade de fazê-lo. A pretexto de reflexões de caráter puramente teórico, penso que o que está em jogo de fato é o desejo de cada grupo de pensadores, que defendem a primazia de um dos componentes do dueto, de prevalecer sobre o outro, numa disputa mesquinha e improdutiva.

É claro que, entre os aspectos culturais, devemos dar ênfase especial ao contexto íntimo, ao núcleo familiar em que cada criança se desenvolve. Estou desconsiderando os casos, felizmente minoritários, daqueles que crescem em instituições, orfanatos e em contextos muito adversos. Por estarem sujeitas a condições incomuns, essas crianças podem apresentar propriedades e problemas específicos que não cabem numa reflexão genérica como a que estou fazendo aqui.

O contato imediato das crianças com seus pais, irmãos, avós e outras pessoas íntimas certamente determina suas primeiras relações afetivas, delas dependendo, ao menos em parte, a evolução emocional – e até intelectual – de cada uma delas. A qualidade desses primeiros vínculos afetivos tem sido objeto de relevantes considerações teóricas (Bowlby) e interfere na imagem que cada criança construirá a respeito de si mesma. Crescer em um núcleo familiar aconchegante e sólido, em que ela se sinta segura e amada, corresponde a uma condição privilegiada, que provavelmente determina um enorme benefício para a constituição de uma boa autoestima futura. Sabemos também que em psicologia não há nenhuma regra geral absoluta, de modo que não são poucos os que crescem mimados em decorrência de se sentir superprotegidos e privilegiados. Inversamente, muitos dos que crescem em condições adversas têm sido capazes de superá-las e, quando adultos, mostram força e maturidade invejáveis.

As crianças aprendem – ou não – a desenvolver os valores éticos em casa. Aprendem, pelo exemplo, a se interessar por determinados assuntos que sejam relevantes naquele contexto familiar específico. Algumas são influenciadas a amar os livros, as artes e a música em especial. Outras são mais estimuladas às práticas esportivas. Outras ainda ficam expostas a uma vida mais voltada para o ócio, para o uso de bebida alcoólica e para os fins de semana em que a atividade principal é acompanhar os programas de entretenimento na televisão. Algumas convivem com um ambiente de harmonia e concórdia, ao passo que outras assistem a intermináveis brigas e discussões entre os seus adultos relevantes. Tudo as influencia, tanto por vias diretas quanto indiretas: umas assemelham-se ao que observam; já outras parecem se espelhar de forma invertida, ou seja, decidem que não querem ser daquele jeito.

Estou me aproximando, de forma sutil, de uma terceira e relevante influência acerca de como nos tornamos "nós mesmos". Ela diz respeito ao modo como nossa mente, já talvez a partir dos 3 anos de idade, pondera sobre os fatos que observa e tira conclusões acerca deles. Esse ingrediente tem sido bastante negligenciado tanto pelos pensadores ligados à nossa biologia como pelos defensores da influência prioritária da cultura e, de forma mais direta, da família em que cada criança cresce. Penso que, a partir de certa quantidade de dados que se acumulam em sua mente, ela passa a agir com alguma autonomia. Assim, de certa forma e em certa medida, somos também fruto de "nós mesmos"!

É claro que a maneira de determinada mente funcionar dependerá da constituição cerebral específica de cada criança. Dependerá do grau de inteligência, da existência de maior ou menor intensidade de medos em sua subjetividade, de ela ser mais ou menos agressiva, mais ou menos tolerante a dores, sofrimentos e contrariedades, mais ou menos ativa etc. Dependerá do contexto em que ela cresce, da língua que aprende. Mas, a partir de certo momento, passa a depender também do modo como ela mesma decodifica e registra os fatos imediatos e distantes. Estamos, pois, diante de três variáveis – não mais duas – a interferir no modo de ser de cada um de nós.

Alguns exemplos são relevantes para esclarecer esse novo elemento que estou tentando introduzir. O mais interessante deles tem relação com o fato de, na grande maioria das famílias, existir mais de um tipo de adulto influente no convívio com a criança. Há os extrovertidos, brincalhões, estourados, exuberantes e geradores de conflitos. Existem ainda os mais discretos, suaves, quietos, que costumam agir para aplacar os conflitos. A criança cresce exposta a esses dois padrões de comportamento, não sendo raro que a um corresponda a figura paterna e a outro, a materna. São muitos os elementos que definem com qual dos pais a criança vai se identificar: seu sexo, suas propriedades inatas mais ou menos agressivas, sua posição no núcleo familiar... Porém, interfere também o modo como a criança avalia a maneira de ser de cada um dos pais.

O primeiro filho vivencia um dilema maior, pois tem diante de si dois personagens relevantes e bem diferentes. Costuma se identificar com o que parece mais forte e poderoso; mas essa regra tem muitas exceções, podendo a identificação se dar por motivos de apego sentimental ou mesmo em virtude do sexo. Sempre é bom lembrar que a identificação poderá ser fruto da ponderação íntima da criança, que decide que é mais legal agir dessa ou daquela forma. O segundo filho costuma observar o ambiente e ocupar o lugar vago: será o oposto do primeiro filho. Ao terceiro, quando existe, cabe novamente uma liberdade maior de escolha.

Um problema que não convém desconsiderar é o de a criança, desde muito cedo, presenciar e acompanhar seguidos desentendimentos entre os pais. Por motivos pessoais ou por influência parental, ela poderá se tomar de dores por um deles e desenvolver uma hostilidade agressiva, uma revolta contra o outro. Acompanhei muitas histórias desse tipo em que depois, quando adulta, a pessoa se aborrece ao reconhecer que errou na avaliação que fez a respeito dos pais e hoje considera e valoriza muito mais aquele a quem hostilizou na infância e na juventude. Isso pode ser doloroso, pois não é raro que o pai "reabilitado" por ele já esteja morto. A mente infantil comete inúmeros erros similares a esse nas mais diversas áreas em que se propõe a elaborar ideias próprias – e isso poderá ter influência decisiva, distorcendo muitos dos seus procedimentos e pontos de vista adultos.

Quanto mais os anos passam, maior a influência da mente da criança sobre o modo como ela evolui. Não pretendo negligenciar a forma de pensar própria dos psicanalistas, que veem nos vínculos amorosos primários e nos triângulos que efetivamente se formam a razão de quase todos os dilemas que vivemos na infância e reviveremos ao longo da vida adulta. São relevantes, mas não são a única variável a ser considerada em nossa formação. Convém registrar também que essa dinâmica relacionada com a família tradicional tem influência decrescente, visto que são muitas as mães que criam os filhos sozinhas, assim como casais homossexuais que adotam – ou geram, no caso das mulheres – filhos.

Tenho a impressão de que os temas relacionados com a sexualidade infantil, tão relevantes na visão dos primeiros psicanalistas, têm se tornado cada vez menos importantes. Se no passado as crianças se surpreendiam com a descoberta de suas zonas erógenas e ficavam intrigadas ao conjecturar a respeito do sexo entre adultos, buscando inclusive brincadeiras que imitassem o que supunham ser as práticas entre eles, hoje me parecem muito mais interessadas em seus jogos eletrônicos. Desde os primeiros anos de vida, o convívio com os desdobramentos das novas tecnologias ocupa um enorme espaço e parece interessar cada vez mais às crianças. São exemplos desse tipo que nos obrigam a rever constantemente nossas convicções e a avaliar o peso dos avanços tecnológicos na vida cultural em geral e na formação dos novos membros de cada comunidade. Também me parece óbvio que, por meio dos vídeos e jogos eletrônicos, o mundo se torna cada vez mais homogêneo, tendendo as diferenças culturais a se arrefecer.

Creio que são justamente as crianças mais inteligentes as que participam mais ativamente da produção do modo de ser delas mesmas. Elas fazem uso intenso do ainda limitado conhecimento que, aos 3 ou 4 anos de idade, puderam colecionar. É bom registrar também que a quantidade de informação a que as crianças são expostas só tem crescido, de forma que não convém comparar o que sabíamos nessa idade com a vida interior das crianças de hoje. Aquelas de sensibilidade mais acurada também percebem melhor as tensões do ambiente, de modo que muitas vezes se tornam inseguras em virtude da falta de estabilidade e de aconchego de seu núcleo familiar. Não convém subestimar o que passa pela mente delas, nem é bom que os adultos pensem que podem dizer certas coisas diante de seus pequenos, pois talvez eles estejam mais atentos do que os grandes gostariam.

Assim, os mais inteligentes e sensíveis para avaliar contextos são os que mais costumam produzir pensamentos próprios que nem sempre estão em concordância com o ponto de vista dos outros membros do seu entorno; são eles também os que podem cometer mais erros de avaliação. Crianças mais inteligentes são, por vezes, estimuladas a equívocos pelos próprios pais: recebem elogios desmedidos em função da boa realização de suas primeiras tarefas escolares, sendo objeto de certo exibicionismo por parte dos pais – que, diante de visitas, gostam de exaltar a "sabedoria" de seus filhos. As crianças crescem com uma ideia exacerbada de si mesmas, com uma noção de que são particularmente bem-dotadas e, por isso, superiores. Os perigos disso são óbvios: nem todos os "gênios infantis" permanecem nessa condição depois de crescidos.

As crianças que, por influência dos pais ou por moto próprio, concluem que sua mente é competente e pode ser levada a sério por elas costumam cometer vários erros de avaliação acerca de sua condição e também de como são as outras crianças e adultos. Consideram-se mais dotadas que seus colegas de escola e passam a ter um convívio mais difícil com eles, desenvolvendo crescente desinteresse por suas atividades. Olham para eles com certo desdém e são vistos como chatos e sem graça. Não raro desenvolvem problemas sérios de convívio social, problemas esses que costumam carregar pela vida afora.

O mais complicado é que, depois de algum tempo, essas crianças que não se integram com as outras de sua geração desenvolvem um duplo sentimento: de superioridade e também de inferioridade. A partir de certo ponto, não sabem com clareza se elas é que estão rejeitando os colegas ou se estão sendo rejeitadas por eles. O mais provável é que os dois fenômenos ocorram simultaneamente, de modo que se formam criaturas complexas, em muitos aspectos ressentidas, que poderão vir a fazer uso de sua inteligência no intuito de humilhar seus pares e tripudiar sobre eles. Tais condutas costumam se perpetuar ao longo da vida, sendo inclusive usadas por essas criaturas mais bem-dotadas como estímulo para progredirem e se destacarem em suas atividades. O ressentimento acaba se transformando em motivador, e o processo se perpetua com facilidade – o que dificulta sobremaneira a resolução desse tipo de dualidade durante qualquer processo psicoterapêutico.

Crianças mais inteligentes chegam em idade muito precoce a conclusões que consideram verdadeiras. Acreditam um pouco demais em seus pontos de vista, uma vez que apostam alto em seus dotes intelectuais. Se extraírem conclusões equivocadas a respeito de determinadas questões pessoais ou interpessoais, poderão carregá-las por longo tempo durante a vida adulta. Sempre terão muita dificuldade de abrir mão dessas convicções, pois não raro alicerçaram sua autoimagem e segurança nelas. Tendem a ser como os fundamentalistas: apegam-se às suas ideias, gostam delas e as defendem quase até a morte.

Cito uma história bastante ilustrativa que ouvi: uma criança de 4 anos de idade teve um sonho em que sua mãe era como o canguru e podia ver sua aparência enquanto o carregava na "bolsa". Na vida real, tratava-se de um menino ruivo de cabelos encaracolados, objeto de brincadeiras e deboche por parte das outras crianças por causa disso. Durante o sonho, pensou e sentiu que a mãe o havia "parido" – rejeitado – porque ele era ruivo e tinha aquele cabelo que todos achavam horrível. Assim, concluiu que seu nascimento aconteceu em virtude da rejeição materna e essa pessoa, um adulto de ótima aparência, vivenciou sentimentos de inferioridade ligados à sua imagem até a maturidade. Era quase impossível tentar questionar seu "raciocínio" infantil, mesmo que ele tivesse 50 anos de idade.

Aqui cabe um parêntese para uma reflexão que, por vezes, me assola e cuja explicação satisfatória desconheço: de onde surge a "maldade" das crianças? Trata-se de um tipo de conduta bastante diferente daquela observada entre adultos, que agridem aqueles que admiram e invejam, dando indiretas. No mundo infantil, a agressividade e a hostilidade grosseiras costumam estar dirigidas justamente aos mais fracos, usando-se a fragilidade deles para expressar a agressão: a criança gorda, frustrada por ser assim, é objeto dos apelidos mais depreciativos; as que usam óculos são alvo de ironia; as mais baixas, as que têm orelha "de abano", as que têm algum defeito físico... As crianças mais fracas, mais medrosas e menos agressivas são objeto de *bullying*; as que não conseguem preencher o padrão vigente é que são maltratadas. É difícil para mim explicar essas condutas, pois não consigo imaginar a agressividade como fonte pura de prazer; sempre me parece mais fácil entendê-la como reação invejosa ou resposta a determinada ação ameaçadora (assalto, por exemplo). A única hipótese que me parece viável é o anseio de autoafirmação, que se expressaria pela depreciação do outro menos dotado: por força da ausência de sentimento de culpa, os que se acham superiores se valem da fraqueza dos outros e, ao humilhá-los, sentem-se mais fortes e melhores.

Tais condutas pressupõem ausência de sentimento de culpa e de qualquer tipo de empatia. É fato também que muitas dessas crianças – talvez mais meninos – se divertem maltratando quaisquer animais. Alguns manifestam efetiva crueldade, aparentando sentir prazer ao observar o sofrimento do bicho. Insisto no fato de que esse aspecto da psicologia infantil merece ser mais estudado.

Fico um tanto aflito sempre que penso na tendência de algumas crianças a desenvolver convicções próprias em idade muito tenra, tendência essa derivada sobretudo de uma sensação de autossuficiência e de orgulho da própria mente. Podem cometer erros graves que, como aqueles que acontecem quando resolvemos um problema de matemática, os afastarão de forma drástica dos bons resultados que pretendiam. Com o passar do tempo, fica cada vez mais difícil detectar onde o erro se instalou, tornando complexo o caminho para sua reversão.

Muitos são os problemas que derivam, principalmente nas crianças bem-dotadas, da tendência comum dos pais de fazer comparações entre seus filhos ou entre eles e outras crianças. A situação é complicada tanto quando a criança é exaltada em comparação com outra quanto quando é diminuída por não ter tantas e tais qualidades que outra tem. Esse formato educacional é grande gerador de sentimentos de inferioridade – tanto num caso como no outro. Sim, porque se forma na subjetividade da criança uma sensação de que ela deve estar sempre à altura de expectativas externas, em especial as propostas por seus parentes próximos. Ao mesmo tempo, ela começa a formar dentro de si anseios que lhe parecem ideais, de modo que depois de certo tempo terá de satisfazer pretensões externas e também internas. Crianças mais dotadas compõem para si mesmas aspirações muito elevadas e, caso não as atinjam, sentem tristeza e fracasso.

Em sociedades como as atuais está em vigor um conjunto de expectativas muito difíceis de ser totalmente atingidas. São padrões que tenho chamado de "aristocráticos" – beleza, fama, fortuna etc. –, os quais privilegiam apenas alguns poucos. Porém, acabam fazendo parte dos anseios ideais de muitos, e desde bem cedo! Isso acontece tanto pela maneira como os pais conduzem a educação dos filhos como pelo conteúdo dos jogos infantis, cada vez mais comprometidos com vitórias, conquistas e grandes resultados. É como se ninguém mais quisesse ser uma pessoa comum, apenas feliz. Todos querem ser especiais, e, como isso não é possível, a grande maioria fica condenada à infelicidade e ao cultivo de dolorosos sentimentos de inferioridade. Insisto: isso já desde muito pequenos, pois o ambiente competitivo toma conta das atividades, esportivas ou não, nas escolas e também nos jogos eletrônicos.

Um exemplo que cada vez mais me chama a atenção, e tem que ver com alterações na cultura e em sua influência sobre o modo de ser e de pensar das crianças, é o da boneca Barbie. Ela foi introduzida no mercado de forma um tanto despretensiosa: como se não fosse outra coisa senão um novo modelo de boneca, diferente daquelas que até então reinavam – as que imitavam bebês. Obteve aceitação e sucesso imediatos, talvez por ter chegado no momento oportuno, numa época em que o modo de pensar o papel das mulheres estava em processo de grande transformação e a ideia de meninas cultivarem o gosto pela maternidade talvez já não fizesse mais tanto sentido.

Se antes da Barbie as meninas brincavam de casinha e as bonecas eram suas futuras filhas, às quais se dedicavam imitando o modo como eram tratadas por suas mães, agora a Barbie – glamorosa, cheia de roupas, jeitos e trejeitos de mulheres adultas jovens, com um namorado lindo, dono de um carro maravilhoso... – é o estímulo para a menina sonhar com a mulher bela e sensual que ela quer se tornar depois da adolescência. As mudanças no conteúdo das fantasias delas têm sido drásticas, o que repercute em todas as esferas da subjetividade das crianças e também no que elas pretenderão ser depois de adultas.

Acho que a primeira consequência do fenômeno Barbie foi o desejo de um enorme número de meninas de se tornar adolescentes e adultas o mais breve possível. Elas passaram a gastar horas dos seus dias de criança a escovar os cabelos da boneca, trocar suas roupas, imaginando-a cada vez mais linda e atraente aos olhos do namorado (e eventualmente de outros rapazes). O mundo proposto pela boneca não poderia deixar de parecer muito mais atraente do que os jogos infantis tradicionais. Só pode mesmo é competir com os jogos eletrônicos, muitos deles também do agrado delas.

Não espanta, pois, que hoje as meninas de 8 ou 9 anos de idade passem horas em cabeleireiros, pintando as unhas e arrumando o cabelo, empenhadas em se tornar sensuais e interessantes aos olhos dos meninos desde muito cedo. É como se não vissem a hora de adolescer para poder se deleitar e mergulhar nesse universo erótico dos adultos, cada vez mais atraente aos seus olhos. Se o erotismo infantil, mais de caráter pessoal (masturbatório), parece ter perdido boa parte da graça, a antecipação do erotismo adulto está cada vez mais presente na mente das meninas, gerando todos os seus desdobramentos, inclusive os de caráter negativo: interesse precoce em se apresentar como mais bela do que suas colegas, aumentando desde cedo a rivalidade e a tensão competitiva em torno da beleza física, variável que nunca esteve tão em evidência.

Não convém subestimar o impacto do fenômeno Barbie sobre a formação de sentimentos de inferioridade nas meninas, que depois se transformarão em moças não tão perfeitas quanto a boneca que alimentou seus sonhos e esperanças. Os ideais aristocráticos de beleza e magreza, sobretudo femininas, estão aí, plenamente instalados na nossa cultura. A Barbie ativa o imaginário das meninas que sonham para si o mesmo destino das beldades que elas acompanham nas revistas, nas telas... Sabemos que a grande maioria delas não chegará a esse patamar estético, mesmo que dedique a isso a maior parte do seu tempo e energia. Em vez de estimuladas a ser o melhor que podem ser, elas são comparadas desde a mais tenra infância a um ideal inatingível, fonte de inesgotáveis insatisfações e sentimentos de inferioridade.

Sei muito bem que jamais conseguiremos exercer controle efetivo sobre o modo como pensam as crianças, mesmo aquelas que acompanhamos desde o primeiro dia. A partir de certa idade, lá pelos 3 ou 4 anos, elas passam a operar também por conta própria. Porém, caberia a nós, adultos responsáveis, ser mais cautelosos com os brinquedos que lhes entregamos, pois será em torno deles que essas criaturas, mais espertas do que fomos e do que imaginamos que elas sejam, constituirão suas fantasias, seus termos de comparação e, de certa forma, um futuro em que a frustração estará presente. Não se deve subestimar a revolta que pode assolar um jovem que sonhou mundos e fundos para si e, de repente, se vê perdido e totalmente apartado da possibilidade de realizá-los.

Não simpatizo com a ideia de transmitir às crianças um mundo idealizado, onde tudo é bom e belo, quando não é essa a verdade. Acho errado elas crescerem acreditando que vão se dar bem em todas as áreas quando parte dessas suposições vem da cultura como um todo, outra parte, da família (que costuma achar que assim está estimulando seus filhos de forma positiva) e outra, dos anseios e do imaginário das próprias crianças, hoje ainda mais atiçadas por brinquedos que exaltam a competição, a competência e, no caso da Barbie, a beleza e a sensualidade. Não é assim que teremos uma geração mais harmoniosa e feliz. Não é por esse caminho que tenderão a arrefecer a revolta, tão típica da adolescência, contra a família e as instituições. Ela é legítima, pois de alguma forma os jovens se sentem enganados. Percebem que o mundo não é da cor que lhes foi prometida e se rebelam.

Tudo que descrevi até aqui tem variações, jamais existindo reações e respostas padronizadas, pois, como eu já disse, dependemos de um cérebro muito peculiar, no qual se processa tudo que nos acontece. O ambiente familiar pode ser o mesmo para os irmãos, mas os cérebros não o são. E mesmo quando os cérebros são iguais, como no caso de gêmeos univitelinos, e os pais são os mesmos, ainda assim nem sempre os irmãos serão em tudo muito parecidos. Já atendi gêmeos idênticos em que um é heterossexual e o outro, homossexual; em que um é mais generoso e o outro, mais egoísta. Tudo depende da forma como cada mente decodifica alguns fatos relevantes vividos. Assim, sempre estão presentes os três fatores: a biologia cerebral, os padrões culturais e familiares e o modo de pensar de cada criança.

Cabe ainda registrar outro ingrediente, sempre negligenciado e, a meu ver, crucial: a existência inevitável de fatos aleatórios. Em virtude desse aspecto, a psicologia torna-se uma ciência complexa e exige mais atenção e cuidado na avaliação de cada indivíduo. Este deverá ser entendido como um ser ímpar, não como uma criatura a ser catalogada por um manual preestabelecido. A psicologia ganha um caráter de relatividade, em que nem sempre a partir de dada biologia, dada estrutura social e familiar é possível definir exatamente como será e como se comportará determinado indivíduo em fases posteriores da vida.

Quando levamos em conta o modo de pensar de cada criança, que a partir dos 3 ou 4 anos de idade passa a imprimir sua identidade aos seus pensamentos e a muitas de suas condutas (ao menos nos jogos e nas "conversas íntimas" consigo mesma, com outras crianças ou com bonecos), já estamos diante de um contexto em que as teorias rígidas, construídas há várias décadas, dificilmente conseguirão explicar o que está acontecendo na subjetividade dela. Se agregarmos a isso os fatos aleatórios, aqueles que acontecem por mero acaso e podem determinar grandes alterações de rota na mente de uma criança – fatos que também podem ocorrer em qualquer fase da vida adulta –, perdemos por completo a possibilidade de controle automático do modo de pensar e de existir das pessoas.

Somos dependentes da nossa biologia, isso é fato. Dependemos da forma e da organização dos bilhões de neurônios que constituem nosso cérebro, assim como da nossa aparência física, da existência ou não de aptidões específicas para o desenho, a música... Dependemos do meio cultural em que nascemos, pois a mente se abastece de uma linguagem peculiar e recheada de paradigmas lógicos que serão incorporados à nossa forma de pensar. Dependemos principalmente do meio familiar, donde tiramos, ou não, o aconchego de que tanto necessitamos para o conforto e a formação de uma boa autoestima. Da família extraímos modelos de identificação e neles nos espelhamos. É no seio da família que recebemos, de modo direto e específico, os primeiros valores e princípios éticos e, não raro, também os de caráter religioso e moral.

Dados certos aspectos de nossa biologia, da nossa cultura e da nossa estrutura familiar, poderíamos antever com boa probabilidade o destino de uma criança nascida naquele contexto. Porém, como as crianças passam a ter pensamentos próprios e estes não são previsíveis nem passíveis de controle, o futuro delas ganha uma enorme dose de incerteza – e a avaliação cuidadosa e atenta de cada indivíduo torna-se indispensável para quem quer entender o que se passa na intimidade de cada um. Penso mesmo que nós, adultos, deveríamos tentar sempre nos remeter ao que fomos quando crianças, ao que pensávamos na adolescência, quais eram os sonhos de então. Eles ajudam bastante a entender nossa subjetividade, o que pretendíamos ser e o que nos tornamos.

Agora, ao introduzir esse elemento aleatório, algo que pode nos alcançar em qualquer momento da vida e influenciar drasticamente nosso destino, a psicologia torna-se ainda mais personalizada, não podendo ser objeto de generalizações acuradas. Inúmeros fatos, a maioria deles de caráter negativo, poderão interferir bastante na constituição de nossa identidade. Exemplos não faltam; aqui registrarei apenas alguns. Uma criança alegre e feliz de 2 ou 3 anos pode se tornar bem diferente caso sua mãe venha a morrer num desastre de carro. A situação poderá ser ainda mais dramática se ela morrer durante o trabalho de parto de um irmãozinho nada desejado. Serão tantos e tão óbvios os aspectos psicológicos afetados por tais acontecimentos que seu registro se torna desnecessário.

Se uma criança sofre uma queimadura mais grave e extensa, é claro que muita coisa em sua vida se modificará. Antes de mais nada, ela passará um longo período hospitalizada e padecendo de dores terríveis. Depois disso, terá de conviver com marcas e cicatrizes que, mesmo depois de cirurgias reparadoras, determinarão um grave prejuízo em sua aparência física. As experiências traumáticas dessa natureza, hoje se sabe, deixam sequelas importantes no próprio cérebro, de modo que, de alguma forma, alteram sua constituição. São incidentes casuais e imprevisíveis capazes de provocar alterações quase definitivas em nosso sistema nervoso e em nosso modo de ser.

Uma criança pobre pode, por força de circunstâncias, ter de estudar em uma escola onde a grande maioria delas é rica. Isso costuma influir, e muito, em sua forma de ser e de pensar. Ela pode desenvolver vários tipos de reação de caráter agressivo, ressentido. Conforme seu potencial e o modo como sua mente decodifica os fatos, talvez se sinta incentivada a superar seus colegas e ser melhor que todos eles. Pode ser uma vivência estimulante ou o inverso, de acordo com a maneira como cada criança reage à situação de adversidade.

Uma criança feliz, que recebe muito carinho e é bem acolhida pelos pais, pode se ressentir terrivelmente do nascimento de um irmão. Talvez sofra um impacto duradouro e se transforme em uma criatura desagradável, destrutiva e ressentida com o fato de ter de partilhar com mais alguém cuidados e atenções que eram só seus.

Outras crianças aceitam com docilidade o nascimento de um irmão que vai lhes subtrair boa parte do que recebiam. E isso vai depender também de uma variável mais que aleatória, qual seja, as características desse novo membro da família. Se se tratar de uma criança que encanta a todos, seja bonita, alegre, inteligente e sociável, o mais velho sofrerá um golpe forte, podendo ou não sair bem dessa nova situação.

Hoje, quando é frequente o segundo casamento entre pessoas que têm filhos de elos anteriores, muitas são as crianças que não toleram os novos parceiros de seus pais e menos ainda o convívio com novas crianças, percebidas como rivais. Outras, ao contrário, parecem se identificar com esses novos "amigos" e estabelecem vínculos muito produtivos. Impossível saber com antecedência o que vai acontecer. Definitivamente, cada caso é um caso.

Quando os pais se separam, diversas variáveis novas entram em jogo e muitas vezes determinarão grandes alterações no modo de ser das crianças. Outras vezes, tudo se passa com serenidade e elas parecem se incomodar pouco com o fato. Há crianças mais apegadas e ciumentas e outras mais individualistas, de modo que a cada uma delas corresponderá uma reação diferente ao mesmo acontecimento.

Uma família rica pode ficar pobre, ter de mudar de bairro ou de cidade. Isso pode gerar reações inesperadas na subjetividade de determinadas crianças; outras, porém, lidarão com a situação de modo leve, não sendo afetadas pelo acontecimento. Outras vezes, a mudança pode ser de país em virtude do trabalho de um dos pais, condição que exporá a criança a dificuldades maiores de adaptação devido à língua diferente e também aos preconceitos que certos povos têm contra estrangeiros. Enfim, são tantos os fatos que podem marcar e definir alterações no modo de ser das pessoas que convém pensar com cautela sobre o impacto que cada um provoca na mente de cada criança.

Tudo, tudo mesmo, pode influir no processo de nos tornarmos "nós mesmos". Quando não gostamos de algo em nós e queremos mudar, deixar de ser e de agir de determinada forma, buscando outro modelo e outras posturas, não estamos diante de uma empreitada fácil e simplória. Em muitos casos, é interessante recorrer a ajuda profissional específica. Porém, é sempre bom considerar importante o empenho pessoal. Nas atividades físicas, o treinador é uma peça relevante e muito útil; porém, quem tem de fazer o esforço, se dedicar às tarefas, é o interessado. O terapeuta ajuda, sugere caminhos, mas o percurso, por vezes tortuoso e doloroso, terá de ser percorrido por cada um.

Somos uma mistura complexa de influências biológicas, culturais e familiares, e também objeto de inúmeras fatalidades que interferem em nosso destino e na forma como passamos a encarar o mundo. Tudo isso converge para nosso psiquismo, nossa mente, essa parte imaterial que nos acompanha, rica em pensamentos, lembranças, imagens e palavras. Não vivenciamos nosso modo de ser, de pensar, nossas reflexões éticas e emoções ao ouvir uma música como se fossem produto da atividade cerebral – e não estou negando que assim seja.

Vivenciamos nossa vida psíquica com autonomia, como algo desvinculado do cérebro, imaterial. Talvez por isso os pensadores tradicionais sempre tenham se valido da noção de "alma", algo que nos habita e eventualmente continuaria a existir mesmo depois da morte física. Não é o caso de nos aprofundarmos nesse aspecto, mas é indiscutível que, ao longo dos anos que passamos debaixo do sol e enquanto nosso cérebro funciona normalmente, experimentamos a vida como se fôssemos constituídos de uma parte física, material, e de outra imaterial. O dualismo corpo-alma não se confirma na prática, pois qualquer distúrbio cerebral repercute imediatamente no modo como pensamos – e vice-versa. Mas, em condições normais, parece que corpo e alma são entidades distintas; ao menos é assim que vivenciamos nossa existência no dia a dia.

Embora essa seja a forma como vivemos, convém ficarmos atentos às mudanças bruscas de humor e mesmo ao jeito de pensar: alterações na atividade química cerebral podem mudar nossa maneira de refletir; podemo-nos tornar otimistas ou pessimistas de uma hora para a outra, indício de que não estamos bem do ponto de vista físico. Assim como a alma interfere no cérebro – e citei os exemplos bem conhecidos das grandes vivências traumáticas e do "efeito placebo" –, também a forma como pensamos depende da atividade cerebral. Tudo opera em todas as direções, e qualquer simplificação me parece descabida.

Sei da inquietação que toma conta de muitas pessoas ao perceber até que ponto não têm controle sobre algumas das principais variáveis relacionadas a questões existenciais relevantes. Imagino a ansiedade de pais, avós e educadores em geral ao detectar, com mais clareza, o limitado poder de interferência que todos temos sobre o modo como cada criança vai crescer. É sempre mais apaziguante imaginarmos que a utilização de certos procedimentos pedagógicos acabará por determinar tantos e tais resultados sobre o futuro dos nossos filhos. Angustiamo-nos com a incerteza, propriedade inalienável de nossa condição. Adoraríamos ter mais controle sobre tudo que nos é relevante; não é impossível que muitas das formas dogmáticas e um tanto fundamentalistas de pensar a psicologia humana derivem, antes de mais nada, dessa ânsia por estabelecer nexos causais sólidos estáveis entre a maneira como fomos formados e o que somos como adultos.

Os fatos não confirmam esse desejo de construirmos uma teoria psicológica com características similares à da física clássica, na qual, dados alguns pressupostos, era possível inferir com rigor e certeza o que viria a acontecer com determinado objeto. As teorias psicológicas têm tentado encontrar esse grau de certeza, mas a física moderna vem desqualificando essa possibilidade até mesmo no que diz respeito aos movimentos que acontecem no interior dos átomos. Não vejo outra atitude possível se não a de nos rendermos à elaboração de uma teoria psicológica mais aberta a variantes imponderáveis e imprevisíveis. Teremos de entender cada pessoa com sua singularidade e abrir mão de fórmulas pré-moldadas. Ou, como digo de modo jocoso, abandonar o *"prêt-à--porter"* e caminhar na direção da "alta-costura".

A incerteza é uma das características da nossa condição, quer gostemos de admitir isso ou não. Talvez valha a pena aceitar nossa realidade com mais docilidade e ver o que podemos extrair de positivo dela. No caso da formação de crianças e jovens, ao mesmo tempo que a ansiedade pelo resultado cresce, pois nem tudo depende de nós, nossa responsabilidade diminui. Assim, quase sempre a expressão "Onde foi que eu errei?", que indica o incômodo de certos pais pelo que foi feito de seus filhos, não se justifica. A ansiedade pode aumentar, mas os sentimentos de culpa tendem a diminuir.

Devemo-nos empenhar com afinco e fazer muito bem nossa parte: tentar acolher nossas crianças, dar--lhes carinho e proteção sempre que elas necessitarem, deixá-las crescer e se tornar cada vez mais independentes, contribuir para sua formação moral, criar uma atmosfera homogênea no seio da família – especialmente no que diz respeito aos valores – e assim por diante. Quanto ao resto, só nos cabe torcer para que os ventos sejam favoráveis e cada uma delas floresça da melhor maneira. Não adianta pensar de outra forma; os fatos mostram que "só deveríamos nos ocupar daquilo que depende de nós" (Epiteto).

2 dois
O QUE MUDAR?

Numa avaliação inicial e simplificada, desejamos mudar tudo em nós que nos desagrada e de alguma forma prejudica as atividades cotidianas e o convívio com as pessoas. Porém, ao menos em parte, somos o fruto de "nós mesmos"; ou seja, fomos responsáveis por uma fração daquilo que somos hoje, posto que nossa mente participou ativamente da elaboração de muitas das convicções que nos governam. Assim, para querermos mudar de fato, temos de ter mudado nossos pontos de vista acerca de determinada forma de ser ou de agir. Se nos constituímos mais de acordo com o modo de ser do nosso pai e queremos deixar de ser tão parecido com ele, é preciso que tenha havido uma reflexão íntima profunda, na qual desqualificamos – ao menos em parte – o modo de ser dele e, digamos, reabilitamos nossa mãe, a quem não considerávamos tanto.

Toda mudança tem como ponto de partida uma rigorosa autocrítica e uma avaliação sincera de como somos, dos malefícios que causamos a nós mesmos e/ou a terceiros e de como seríamos mais felizes se nos livrássemos de alguns dos nossos comportamentos. Como todo processo de mudança é difícil e trabalhoso, em geral ele só se concretiza quando a pessoa se conscientiza de que computa grandes perdas por ser do jeito que é.

A avaliação do que seja ganho ou perda pode ser feita de várias maneiras, o que já configura um enorme problema a ser resolvido. Existem condutas que geram benefícios em curto prazo, mas redundarão em grandes perdas em médio ou longo prazo. Muitos indivíduos, mais imaturos e imediatistas, só conseguem se guiar segundo as avaliações que fazem do presente e do futuro próximo. Um exemplo esclarecedor: pessoas mais egoístas levam vantagens práticas imediatas nas relações com as mais generosas. Porém, em médio e longo prazo tornam-se frágeis, dependentes e cada vez mais ameaçadas pelo risco de perda dos benefícios que a situação lhes garante. Isso porque quem recebe benefícios jamais se torna forte e independente; ao contrário, tende a se acomodar no colo de alguém que o carrega, condição na qual suas pernas se enfraquecem, atrofiam. Os que o carregam fazem toda a força, tornam-se cada vez mais poderosos e podem desistir de fazê-lo a qualquer momento.

Muitas das pessoas que têm comportamentos imaturos e infantis não veem interesse em crescer, pois isso implicará responsabilidades e perda de determinados direitos e privilégios próprios de uma faixa etária à qual não pertencem mais. Um exemplo é o de moços e moças que, mesmo depois dos 30 anos de idade, continuam a viver na casa dos pais, beneficiando-se de privilégios filiais e não vendo vantagem em morar sozinhos, pois isso lhes traria ônus e perda de benefícios. Não percebem que seu comportamento os fragiliza, que estão se acomodando a uma situação que pode ser revertida contra eles a qualquer momento.

Poucos são os indivíduos que fazem mudanças preventivas, ou seja, aquelas das quais obterão enormes benefícios no futuro e cujos prejuízos em curto prazo são modestos ou inexistentes. Isso não vale só para as condições de acomodação a situações momentaneamente mais convenientes, mas também para muitos dos nossos maus hábitos e vícios. Estou chamando de "maus hábitos" aqueles que cada um reconhece como tais e gostaria de mudar, realmente deseja se livrar deles, mas não tem forças para abrir mão de satisfações imediatas em função de benefícios maiores no futuro. É o caso dos tabagistas, que sempre deixam para largar o cigarro mais para a frente – e muitas vezes só conseguem fazê-lo depois do surgimento de uma doença grave decorrente dos efeitos nocivos do tabaco.

Quase sempre as pessoas sabem muito bem o que fazem de "errado", termo que aqui uso livremente sempre como indicativo de condutas que a própria pessoa recrimina ou gostaria de mudar. Isso é mais verdadeiro nas questões de ordem prática e naquelas que envolvem os cuidados com a saúde física e mental. Um estudante negligente sabe que para passar num exame de seleção mais rigoroso terá de se empenhar, se sacrificar, abrir mão de suas horas de lazer. Nesse caso, estamos diante da renúncia a prazeres imediatos em favor de benefícios maiores no futuro. É interessante notar que esse tipo de renúncia ao chamado "princípio do prazer" em favor do "princípio da realidade" (Freud) deveria estar presente em praticamente todos os indivíduos depois dos 8 ou 9 anos de idade, mas, em certa medida e em algumas áreas da vida, parece faltar a quase todos nós.

O que mudar, do ponto de vista das questões objetivas, não é, pois, uma pergunta difícil de ser respondida, pois quase sempre sabemos muito bem para onde e como deveríamos avançar. O que está em jogo, mais que tudo, é se a pessoa está em condições de renunciar aos ganhos imediatos que trarão eventuais prejuízos no futuro em favor de benefícios maiores. Isso dependerá, é claro, da dimensão dos ganhos e perdas, da competência de cada um para lidar com frustrações, de quanto cada um avalia como perigosa dada conduta ou situação. De todo modo, são situações simples de avaliar, e as mudanças ocorrerão quando a pessoa desenvolver certa maturidade emocional e a convicção clara de que os prejuízos futuros são quase inexoráveis. A maturidade trará consigo um fortalecimento da razão, condição indispensável para que se renuncie aos prazeres imediatos. Trataremos mais detalhadamente dos aspectos concretos relacionados com esse tipo de mudança no Capítulo 5, que delineia as estratégias disponíveis àqueles que pretendem atingir os objetivos que eles mesmos venham a elaborar.

Convém mencionar, desde já, que muitos dos comportamentos que reconhecemos como inadequados, ao nos trazer danos futuros e nem sempre corresponder a alguns benefícios imediatos, também se consolidaram pela via da criação de rotas pavimentadas no sistema nervoso, de modo que tendem a se repetir com mais facilidade. São os hábitos que estão arraigados em nós e reconhecemos como inconvenientes, mas não conseguimos mudar porque eles se repetem de forma automática e rápida. Assim, muitos comem mais depressa do que gostariam – o que aumenta a chance de obesidade –, enquanto outros não conseguem desenvolver uma postura adequada ao se sentar em cadeiras que propiciam posições viciosas e nocivas à coluna vertebral. Nesses casos, não existem benefícios envolvidos nas ações praticadas; trata-se de uma sequência de comportamentos que mais tarde se provarão perniciosos e acontecem como se estivéssemos guiados por um "piloto automático" – o que, de fato, corresponde a esse processo neuronal facilitado que se caracteriza pela repetição de condutas que já se deram inúmeras vezes no passado.

Outros comportamentos, aparentemente sem nenhum ganho imediato ou futuro, também tendem a se perpetuar por força do estabelecimento de conexões neuronais sólidas que se repetem com facilidade ao nos distrairmos por alguns instantes. São as compulsões, das quais um bom exemplo é a alimentar, em função da qual a pessoa alivia um tipo de tensão ou ansiedade ligada a um estado de desamparo por meio da ingestão exagerada de comida. Engordar não é desejado de forma nenhuma, mas o alívio do desconforto, esse tipo de prazer chamado de "negativo" (Arthur Schopenhauer), fala, por alguns minutos, mais alto que a tristeza de ver o corpo modificado pelo sobrepeso. Outras compulsões existem e nos referiremos a elas mais adiante. De todo modo, é dificílimo alterá-las, posto que, além da facilidade de repetição por força do hábito, o alívio de tensões é um benefício psicológico muito forte que prevalece sobre a razão em inúmeros indivíduos.

Uma conduta da qual as pessoas certamente desejam se livrar tem que ver com as fobias: situações que tendem a ser evitadas por provocarem enorme medo, mas efetivamente não são assim tão perigosas. Nas fobias, desenvolve-se um medo descomunal de situações cotidianas que não provocam mal-estar na grande maioria das pessoas. Fobias são, pois, medos irracionais, ilógicos. Medo de barata é uma fobia, medo de cães ferozes é um temor que podemos chamar de normal. São fobias frequentes as relacionadas com altura, locais que envolvem multidões, medo de voar etc.

Quase sempre existe uma experiência traumática associada à fobia. O trauma pode ter acontecido anos, ou mesmo décadas, atrás; é como se o incidente doloroso ficasse encapsulado e, de repente, essa barreira se rompesse em função de um estado psíquico fragilizado. Quando isso acontece, o medo inunda o psiquismo e determina o surgimento da fobia. Um indivíduo pode, por exemplo, ter tido alguma vivência traumática relacionada à aeronáutica e, anos depois, de repente e em função de um estado emocional ruim, desenvolver um pavor que o impede de entrar num avião – condição em que o risco de acidente é menor do que em muitas das situações vividas em terra.

Não raro, quem tem medo de avião também não gosta de sentir medo em outras situações em que o risco é real ou imaginado. Não deixa de ser curioso constatar que muita gente sente enorme prazer em situações capazes de provocar medo, desde que estejam sob controle e não envolvam efetivo risco: quantos não adoram andar em montanha-russa, assistir a filmes de terror, dirigir acima da velocidade permitida? Os fóbicos em geral não gostam da sensação de medo, enquanto outros experimentam o medo controlado como prazer, associando essa vivência a uma adorável experiência de descarga de adrenalina. Elas pagam para passar medo, ao passo que os fóbicos evitam situações que poderiam ser muito convenientes, como é o caso dos aviões, das estradas congestionadas rumo a locais de lazer, dos estádios de futebol em dia de decisão.

No caso do medo de voar, agrega-se um ingrediente importante, ligado não só ao condicionamento que se estabeleceu após uma vivência traumática pretérita, mas também a nossa efetiva condição. Estou me referindo ao que muitos sentem como terrível: o fato de não termos controle sobre as variáveis mais importantes, em especial a da nossa sobrevivência. Somos governados pelo princípio geral da incerteza: não sabemos nada acerca do nosso futuro, do que pode nos acontecer de bom ou de ruim – é claro que o maior problema relacionado com isso diz respeito às más notícias. No avião, quando as rodas se soltam do chão e o voo se inicia, temos plena clareza da nossa real condição, de que estamos "por um fio" e não há nada que possamos fazer a esse respeito. Essa é a situação em que nos encontramos o tempo todo, mas felizmente só em condições excepcionais nos dedicamos a pensar nela.

O tratamento das fobias será delineado no Capítulo 5, que se ocupa de como mudar. De qualquer forma, fica claro que os fóbicos não obtêm nenhum benefício de seus pavores, sendo vítimas tardias de experiências traumáticas aleatórias, variável que tentei enfatizar páginas atrás porque tem sido objeto de negligência relativa por parte daqueles que estudam a subjetividade humana. Essas marcas fortes, fruto de vivências dramáticas e da forma como cada um as registra, estão presentes em quase todos os seres humanos. É sempre bom relembrar a relatividade de tudo em nós. São incontáveis as pessoas que foram expostas aos mesmos traumas e não desenvolveram fobias; isso indica que nossa constituição biológica – maior ou menor disposição para o estabelecimento rápido desse tipo de condicionamento intermediado pelo medo – e a forma como cada um decodificou aquela experiência interferiram no complexo e sempre imprevisível processo que compõe as peculiaridades de cada um de nós.

O problema de que estamos tratando – o que cada pessoa deseja mudar em si e quanto ela realmente deseja isso – tem contornos bem mais indefinidos e difíceis de ser abordados do que os descritos até agora, todos eles relacionados com aspectos objetivos, concretos e práticos da vida. Do ponto de vista das mudanças subjetivas, muitas vezes deparamos com um panorama nebuloso. Cito como exemplo o caso das pessoas mais generosas, que têm dificuldade em dizer "não". Muitas dizem que adorariam ser capazes de mudar, mas será que gostariam mesmo? No caso dos mais egoístas, já citados, o ganho imediato existe, tendo relação com benefícios indevidos dos quais se vangloriam. E os generosos? Obtêm os prejuízos correspondentes aos benefícios que dão aos egoístas com os quais convivem? Os generosos se deliciam com os prejuízos, com os sacrifícios, por vezes com as cobranças e os maus-tratos que recebem? Gostam de sofrer?

Uma análise mais detalhada mostra que os generosos raramente desejam se modificar, pois qualquer renúncia a esse papel lhes parece rebaixamento, perda de valor. Ou seja, avaliam a generosidade como virtude, como algo eticamente edificante. Visto desse ângulo, de certa forma são dependentes dos egoístas que os exploram, pois do contrário como exerceriam sua superioridade moral? Como se sentiriam alimentados em sua vaidade se os mais egoístas não existissem? De certa forma, a generosidade necessita do egoísmo para se estabelecer – e essa é a crítica mais dura que faço a esse comportamento tão valorizado por tantas entre as melhores pessoas (vide meu livro *O mal, o bem e mais além*).

Sem me alongar demais em um tema ao qual já me dediquei à exaustão, o fato é que os mais generosos não sentem grande anseio de mudança. Gostariam de conseguir dizer "não" em algumas poucas situações, mas no conjunto se sentem felizes e orgulhosos com seu modo de ser, sentindo-se assim mesmo quando são claramente informados de que seu comportamento é nocivo ao parceiro sentimental ou ao filho superprotegido. Alguns gostam desse papel de criatura dedicada e cercada de mal-agradecidos, condição que de certo modo os humilha, mas alimenta a vaidade – até porque a desconsideração costuma ser manifestação invejosa, e essa é uma forma sutil de elogio. Gostam porque vivenciam o descaso como provocação e, quanto mais são humilhados, mais percebem nascer dentro deles garra e disposição para crescer mais e mais, condição que corresponde a um duplo ganho para eles: progridem na consecução de seus projetos e se vingam causando ainda mais inveja nos que abusam deles.

De todo modo, parece-me que mesmo em comportamentos inconvenientes, nos quais parecem predominar componentes destrutivos, muitos dos quais talvez tenham levado Freud a pensar em algo para "além do princípio do prazer", existem sempre ganhos secundários não tão difíceis de ser detectados. No caso da generosidade, isso me parece indiscutível. Mas até em comportamentos em que o indivíduo se prejudica com o intuito de magoar alguém – como é o caso da "pirraça" praticada por crianças que evitam comer com o intuito de perturbar suas mães – penso que o desejo de se vingar de alguma ofensa ou frustração que tenha sofrido determina uma satisfação que supera em intensidade os danos que ele terá de suportar.

São raros os casos em que não existem ganhos de espécie nenhuma e mesmo assim os comportamentos permanecem. Correspondem a certos hábitos inadequados que adquirimos na infância, consolidaram-se e se instalaram em nosso cérebro, como comer depressa e sentar-se de forma errada. É evidente que não há ganhos também na maior parte dos processos fóbicos, quase sempre claramente derivados de experiências traumáticas prévias. Em ambos os casos, estamos diante de situações em que predominam os elementos cerebrais, biológicos, sobre os de natureza psicológica ou cultural. É a mente submetida aos desígnios do cérebro, única condição, segundo penso, em que existem perdas desprovidas de qualquer tipo de ganho secundário.

Há ainda outras situações em que o indivíduo tem certeza de que quer mudar, mas isso não acontece por ele não entender bem o que se passa em seu íntimo. É o caso de pessoas tímidas que gostariam de ter forças para abordar desconhecidos. Por exemplo, chegar a uma festa e sentir-se à vontade para se apresentar a um grupo de convidados que lhe pareça interessantes. Aí estamos diante de questões essencialmente psicológicas, nas quais parece predominar o medo de rejeição, de não ser bem-aceito, de desagradar. Não se pode afirmar que isso não venha a acontecer. Porém, como nas situações infantis, não é impossível que os mais tímidos tenham se colocado à margem das turmas por não acharem graça em suas brincadeiras; ou seja, por se reconhecerem como superiores. Depois, ao desejar se aproximar do grupo e encontrar resistência, passam a se sentir inferiores. Essa curiosa mistura de sentimentos de superioridade e inferioridade, difícil de ser detectada, talvez contribua mais do que os tímidos pensam para a perpetuação de sua postura. De certa forma, integrar-se significa tornar-se igual àquelas pessoas, o que implica a renúncia da condição de indivíduo superior, especial.

A verdade é que, ao nos aproximarmos de um grupo social qualquer, podemos não ser bem-aceitos. Afinal, eles já estão lá, integrados, se divertindo, e podem interpretar como invasiva a tentativa de aproximação de novos elementos. Mas não tenho dúvida de que, em muitos casos, os mais quietos e desajeitados socialmente são aqueles que não acham muita graça na conversa da maioria das pessoas. Sentem medo de ser rejeitados, mas nem sempre percebem que são eles os que mais tendem a fazê-lo. Muitos dos que não se sentem à vontade em festas grandes e cheias de desconhecidos não são especialmente tímidos. O fato é que não gostam de conversa fiada nem acreditam que vão encontrar gente interessante nesses ambientes. Não conseguem ver a verdade: não são tão tímidos, e sim impacientes com conversas vazias e sem graça.

Essas considerações acerca da timidez conduzem-me diretamente a uma reflexão que tem me despertado um interesse cada vez maior: tudo nos faz crer que existam dois níveis diversos de consciência. Um desses níveis pode, por períodos, tornar-se inconsciente e conter também pensamentos e sentimentos que não gostaríamos de possuir. Esse era certamente o caso dos pacientes observados pelos primeiros psicanalistas, há mais de 100 anos, que, na era vitoriana, encontraram submersos anseios eróticos de todo tipo, além de outras manifestações emocionais e pensamentos que estavam em franco desacordo com os rígidos padrões da época.

Os tempos são outros e as pessoas, hoje, não têm grandes problemas com suas fantasias eróticas – salvo algumas exceções em que, por exemplo, fantasias homoeróticas ainda assustam e incomodam bastante seus portadores. Muita gente ainda se aborrece por sentir inveja, não raro escondendo de si esse sentimento. Outras evitam pensamentos e fantasias agressivos que consideram um tanto bizarros. Mas a maioria das pessoas lida melhor com suas emoções "indevidas" e, talvez graças mesmo à psicanálise, sente-se em condições de tê-las na consciência. Assim, até há pouco tempo, parecia-me que a própria descrição e conscientização coletiva do conteúdo do inconsciente acabariam por determinar seu completo desaparecimento.

Hoje penso que desapareceu o inconsciente freudiano. A quantidade de sentimentos e pensamentos que escondemos de nós mesmos diminuiu. E o que sobrou?

Cada vez mais acredito que sobraram dois níveis diferentes de consciência, sendo um mais evidente para nós e com o qual convivemos cotidianamente. O outro nível de consciência, por vezes mais ou menos inconsciente, está conectado com nossas verdades íntimas, que nem sempre estão em sintonia com os valores propostos pela cultura. Penso que, numa situação como essa, os exemplos serão mais esclarecedores do que palavras de natureza teórica. Não por acaso escolhi dois, relacionados com a questão sexual, tema tão caro a Freud, numa reverente homenagem ao genial fundador desses estudos.

Rapazes de alma mais delicada, que não se sentem confortáveis ao iludir as moças que lhes despertam forte atração sexual, queixam-se de seu modo de ser, ressentindo-se de não ser mais ousados e competentes para a paquera. Observam o comportamento de outros colegas, em geral menos interessantes que eles, mas que conseguem atingir seus objetivos eróticos. Percebem também que eles se valem de estratégias de caráter sentimental, falando em amor quando o real interesse que os motiva é puramente sexual. Sentem-se inferiorizados por não ser bem-sucedidos em suas conquistas eróticas e percebem que uma das razões desse insucesso é sua dificuldade de prometer namoro e romance quando não é esse seu intuito.

As moças costumam se sensibilizar mais pelos discursos românticos, o que parece aliviar seu sentimento de culpa por estarem buscando apenas aventuras eróticas. Também é fato que algumas preferem parceiros mais do tipo cafajeste, ousados, insinuantes, que proferem um falso discurso romântico; dessa forma, eles pensam que estão enganando e elas fingem que estão sendo enganadas. Oficialmente, isto é, no primeiro nível de consciência, elas creem que o discurso romântico seja real, que estão se envolvendo e se deixando levar eroticamente por força do sentimento amoroso. Elas demonstram mais interesse por parceiros que certamente vão decepcioná-las, de modo que tudo leva a crer que no segundo e principal nível de consciência não estão nada interessadas em qualquer tipo de envolvimento sentimental mais sério. Fosse esse o caso, não cairiam nessa mesma armadilha repetidas vezes, como sempre acontece.

Os rapazes mais bem formados moralmente não conseguem acreditar que elas estão mais que dispostas a ser enganadas e, mesmo desejando agir como seus amigos – paqueradores despudorados que não se aborrecem por provocar um eventual sofrimento nas moças às quais declaram falsos amores –, não conseguem fazê-lo. São freados pelo segundo nível de consciência, nem sempre tão claramente consciente, e veem frustrados os planos do primeiro nível, por meio do qual desejariam passar a noite com uma das moças que seus amigos conquistam com tamanha facilidade. É fato também que eles teriam mais dificuldades com muitas delas, em especial se não se travestissem em cafajestes, uma vez que, no fundo, elas também não querem saber de romance.

Incapazes de resolver esse dilema, acabam por se sentir pouco interessantes, cultivando sentimentos de inferioridade dolorosos. Nem sempre conseguem se livrar dos freios éticos que tão fortemente interferem no processo, freios esses que predominam no segundo nível de consciência e só poderão ser atenuados quando a reflexão os alcançar. Ou seja, quando esses moços perceberem que sua dificuldade não reside na abordagem nem na falta de sucesso que fariam com as moças, mas que estão sendo freados por uma consciência ética um tanto exagerada para a situação, posto que não estão levando em conta as reais motivações de muitas moças. Os mais ousados e bem-sucedidos, por sua vez, não sofrem esse efeito limitante por não terem uma consciência moral rígida, de modo que se sentem livres para usar de todos os artifícios para atingir seus objetivos eróticos. São mais competentes para essa empreitada; porém, a falta dessa mesma consciência moral poderá prejudicá-los quando quiserem estabelecer relacionamentos amorosos verdadeiros e estáveis.

Outro exemplo, talvez mais contundente, é o que costuma determinar a total inibição da ereção de muitos homens cuja história não é indicativa de distúrbios sexuais relevantes. Aqueles em que a disfunção erétil é a regra padecem de outras dificuldades, e não penso que seja um bom exemplo para o que estou querendo discutir aqui, ou seja, que existe em cada um de nós dois níveis de consciência, ambos regidos por regras lógicas bem claras e consistentes, sendo o segundo nível, o mais atuante na prática, mais independente dos padrões culturais em que estamos submersos. A situação marcante, que ajuda a elucidar meu ponto de vista, é a da inibição da ereção nas fases iniciais de um envolvimento amoroso que parece promissor e intenso.

A ideia oficial que nos governa, de que o sexo e o amor caminham em plena sintonia, não se confirma quando, num casal que está em processo de encantamento recíproco, o homem se vê totalmente travado sexualmente. É claro que essa não é uma regra geral, mas acontece com regularidade suficiente para servir de exemplo aqui. O homem sente-se envergonhado e incapaz de explicar o que está acontecendo, posto que em geral é a primeira vez que isso ocorre – e, quando eles dizem isso, não costuma ser uma mentira para atenuar seu constrangimento. A mulher, por sua vez, sente-se pouco atraente, tendo a sensação de tê-lo decepcionado, de não ser tão interessante quanto ele pensava – esse tipo de reação, mais que lógica, não tem nenhuma correspondência com a realidade; muitos desses homens já estiveram com mulheres bem menos atraentes e nada disso lhes aconteceu.

Como explicar um fato dessa natureza? Por que essa inibição justamente quando o envolvimento parecia crescer e evoluir para um elo intenso e promissor? E tudo isso acontecendo com um homem que nunca teve problema sexual? Não há explicação conhecida para o nosso nível oficial de consciência, e sempre que isso acontece o mais sábio é consultar o segundo nível. Essa consulta pode ser feita de duas maneiras. A primeira seria buscar um fundamento de natureza patológica, ou seja, averiguar se haveria um problema escondido por trás dessa dificuldade. Esse modo de pensar, a meu ver simplificador, é comum a muitos profissionais de psicologia. A outra maneira, bem mais a meu gosto, seria tentar entender a boa e lógica razão para o acontecido.

Prefiro partir do ponto de vista de que, em casos como esses, caracterizados por um envolvimento amoroso intenso e em alguém sem antecedentes de dificuldades sexuais, deve haver um motivo justo para a inibição. De acordo com minha experiência, acompanhando várias dezenas de histórias desse tipo, a razão para a inibição é uma espécie de freada que o homem provoca em seu ímpeto na direção do envolvimento amoroso. Ou seja, a fusão romântica é um anseio forte em todos nós, mas também assusta bastante. Num contexto desses, o medo reina e inibe a sexualidade, talvez como último recurso para tentar levar o homem – e o casal – a ir mais devagar, ponderar acerca de todas as variáveis envolvidas no caso deles e, principalmente, aprender que o elo amoroso intenso provoca muito medo, medo esse que tem consequências. Tratarei do medo ligado a coisas boas no Capítulo 6.

Os homens costumam pensar e dizer que seu pênis não lhes obedece, que eles são governados por uma "cabeça própria". De certa forma, têm razão: não é o nível oficial de consciência que determina a ereção, e sim esse segundo nível; ou seja, o que governa o pênis é a nossa cabeça, mas não aquela parte que obedece às regras oficiais, e sim a que produz uma atividade racional mais sofisticada, governada por processos muito relevantes que as pessoas deveriam conhecer melhor. Em vez de se insurgir contra os ditames propostos pelo segundo nível de consciência, sempre é bom verificar se eles não contêm pontos de vista interessantes, ligados antes de tudo ao nosso próprio bem-estar e a mecanismos saudáveis de sobrevivência.

Em outras palavras, em vez de buscar a ajuda dos urologistas, valer-se de medicações que, em princípio, estimulariam a função erótica até mesmo contra a vontade dessa consciência maior – talvez esse seja um nome mais adequado para os processos que acontecem dentro de nós, muitas vezes submersos e camuflados pela consciência oficial –, o mais sábio seria acatar seus ditames, dar continuidade ao namoro sem insistir na intimidade sexual e deixar que ela flua quando for chegada a hora. Nos assuntos sentimentais, serenidade, competência e paciência para esperar que todas as variáveis amadureçam são requisitos fundamentais para aumentar as chances de sucesso.

Muitos outros exemplos podem ser dados para mostrar a influência da consciência maior sobre a função sexual que, sem dúvida nenhuma, a ela está submetida. Cito apenas de passagem o fato de que muitos homens se sentem totalmente inibidos sexualmente diante de mulheres que consideram ousadas e agressivas em sua abordagem, aquelas que tomam a iniciativa e provocam neles uma reação desagradável, como se estivessem sendo pressionados. E estão! Aqui, outra vez, o pênis está agindo com mais sabedoria do que a consciência oficial, que sugere que todos os homens devem estar sempre dispostos e disponíveis para qualquer possibilidade erótica, mesmo que seja do tipo "atração fatal" (lembram-se do filme de mesmo título?). Em situações em que se pressente que seja esse o caso, nada mais justo que a inibição do interesse erótico.

Em tom de brincadeira, mas pensando em transmitir a serenidade necessária aos homens que se veem diante desse tipo de dificuldade, escrevi o seguinte em *Homem: o sexo frágil?* (1989, p. 183): "[...] me baseio na ideia de que o pênis tem sempre razão! Ele só participa de festas para as quais foi convidado e nas quais se sente absolutamente à vontade. E de nada adianta impor alguma coisa ao pênis, pois ele é anarquista por vocação e se rebela contra qualquer tipo de ordem". Seus ditames foram feitos para ser respeitados e não contestados, e muito menos para ser entendidos como indícios patológicos. Nem tudo que escapa à nossa consciência oficial é ruim e, de alguma forma, está operando contra nós. O problema pode estar justamente nessa consciência oficial que, por vezes, consideramos depositária de todas as nossas verdades e talvez não seja tudo isso.

"Consciência maior" é o termo que estou propondo para substituir o "inconsciente". Ela é, por vezes, inconsciente, mas essa não é sua característica principal. Penso que ela carrega, com nossas vivências traumáticas, nossos anseios vergonhosos que escondemos de nós mesmos – e cujo conteúdo é variável e dependente de quanto a consciência oficial os aceita ou não –, muitas das nossas melhores reflexões, nossos valores éticos e morais, os mecanismos voltados para a autopreservação, enfim quase tudo que constitui aquilo que chamei de "nós mesmos". Não somos apenas produto de dado meio social e familiar que nos ensinou seus usos e costumes. Temos uma série de ponderações pessoais, guardamos dentro de nós os acontecimentos aleatórios que nos marcaram e deles extraímos, por vezes, conclusões que estão em desacordo com o que oficialmente esperam – por vezes, com nossa aparente anuência – que sejamos.

Essa criatura complexa e única que caracteriza cada um de nós nem sempre está disposta às mudanças a que oficialmente pensa estar propensa. Assim, muitas das questões sobre o que mudar encontram respostas evasivas, tipo "Todos temos nossos defeitos", mas que, na prática, não indicam a menor disposição de mudança. Desejamos mudar, de fato, comportamentos que nos limitam, tais como os hábitos insalubres e as fobias, e efetivamente prejudicam nossa vida social e profissional. Seria conveniente incluir nesse pacote as propriedades que temos e nos fazem sofrer mais que o indispensável e inevitável.

3 três

POR QUE E PARA QUE MUDAR?

O título deste capítulo pode parecer um tanto tolo, pois é claro que as pessoas gostariam de mudar justamente o que lhes desagrada em seu modo de ser. Porém, nem sempre isso é fácil – não só porque boa parte daquilo que somos deve-se a nós mesmos como porque muitas vezes não percebemos com facilidade os aspectos sutis relacionados com eventuais benefícios derivados desse nosso modo de ser. Fomos muito influenciados também por experiências pessoais, pelo ambiente no qual crescemos, pelo que nos foi ensinado e, é claro, em boa parte, fomos determinados por nossa biologia – aparência física, grau de inteligência, motricidade... A respeito desse último aspecto, só nos cabe a dócil aceitação.

Talvez o primeiro elemento a ser considerado seja exatamente este: não convém lutar contra o que em nós foi determinado pela biologia. Mudar o modo como pensamos acerca de algumas características nossas que são imutáveis pode ser difícil, mas por vezes é indispensável. Isso implica não se revoltar contra um destino que pareça adverso. Muitos são os que se entristecem o tempo todo com sua aparência física, com a falta de habilidade para práticas esportivas, com a pouca competência para atividades manuais, com os dotes verbais escassos ou o senso de humor precário, e várias dessas propriedades correspondem a uma forma peculiar da atividade cerebral que, creio, não convém pretender modificar. Nesse caso, mudar significa aceitar os fatos, não lutar contra eles. Mudar significa, portanto, alterar o modo como pensamos para que possamos aproveitar melhor a vida, viver com mais harmonia e serenidade – e isso está longe de ser pouca coisa. Os fatos continuam iguais; porém, nossa forma de reagir diante deles e nosso modo de interagir com as pessoas podem sofrer dramáticas alterações favoráveis caso venhamos a nos posicionar de forma mais serena e menos rancorosa em relação a nós mesmos. Numa frase: quanto às questões irreversíveis da biologia, mudar é aceitar e não pretender mudar.

Outro segmento no qual também não é difícil compreender as razões dos anseios de mudança e suas finalidades é o dos maus hábitos e o das fobias, medos irracionais adquiridos em virtude de vivências traumáticas do passado e consolidados por força das características do sistema nervoso de algumas pessoas que tendem a fixar reações e sensações com base em um número variável de vivências repetidas – por vezes, apenas uma. No caso dos hábitos, como já citei, as repetições são inúmeras até que dado comportamento se estabeleça. É sempre bom lembrar que somos povoados por hábitos e a grande maioria deles é formada por aliados e nos favorece; assim, em geral não temos o menor interesse em alterá-los. Costumamos ter um ritmo quase automático para nos banharmos, para nos vestirmos, para dirigir etc. Os hábitos diminuem o esforço que fazemos para realizar tarefas cotidianas e repetitivas.

Dos maus hábitos deveríamos querer nos livrar porque eles podem se mostrar nocivos no futuro; nem sempre, porém, nos empenhamos com seriedade nessa direção. Das fobias queremos nos livrar porque elas nos limitam, nos impedem de fazer o que gostaríamos; funcionam como uma camisa de força que nos limita os movimentos. No último capítulo pretendo voltar ao tema, mostrando que muitas vezes elas surgem – ou se perpetuam – como uma forma de sabotagem que exercemos contra nós mesmos quando alcançamos importantes progressos. O medo de voar, por exemplo, não raro surge justamente quando a pessoa progride profissional e financeiramente e adquire meios de realizar seus sonhos de conhecer lugares distantes.

Já fiz menção ao fato de que as pessoas em geral não se empenham tanto quanto deveriam para mudar comportamentos que não as ajudam a viver melhor; em outras palavras, comportamentos que não contribuem para que se tornem criaturas mais independentes, serenas, coerentes e alegres. As pessoas acomodam-se em ganhos menores e imediatos em vez de buscar uma evolução efetiva. Algumas só abandonam essa "zona de desconforto" quando movidas por pressões externas, muitas vezes de caráter dramático: algo ligado à sobrevivência física ou material. Um exemplo disso é o perfeccionismo próprio de certas formas de imaturidade emocional ou derivado de uma rígida e rigorosa exigência consigo mesmo.

Os perfeccionistas mais imaturos são os que não querem correr o risco de fracasso, de ser vistos como menos dotados do que apregoam. Como costumam falar muito bem de si mesmos, deveriam ser capazes de mostrar méritos equivalentes ao seu discurso. Não arriscam. Fazem parte desse grupo as pessoas que tendem a abandonar a atividade à qual estejam dedicadas justamente quando encontram os primeiros obstáculos, as primeiras dificuldades. A inconstância não é sinal de preguiça ou futilidade; indica, antes de mais nada, a necessidade de fugir do risco, de evitar um revés, especialmente se ele tiver algum tipo de repercussão social. É interessante notar que a preguiça surge em decorrência do medo e não como causa do fracasso – ou como subproduto dele. As pessoas preguiçosas para atividades que envolvem esse risco podem se dedicar com afinco a outras nas quais não estejam sendo avaliadas. Podem não ter persistência para fazer um curso de línguas ao mesmo tempo que são rigorosas e exigentes consigo mesmas na dedicação a uma atividade física na qual se dão bem ou não correm o risco de ser reprovadas.

Os perfeccionistas do segundo tipo são aqueles cuja rigidez consigo mesmos os leva a um rigor tão exagerado na execução de qualquer tarefa que a renúncia, ainda que vivida como derrota íntima dolorosa, é melhor do que persistir sofrendo por assuntos não tão essenciais. Esse modo rigoroso de se relacionar com as questões práticas da vida é motivo de grande sofrimento; porém, quando a pessoa atinge o grau de exigência que persegue, experimenta um prazer enorme, como se tivesse sido contemplada com uma grande recompensa. Além disso, como a imperfeição gera desconforto, sua resolução provoca o prazer que chamo de "negativo", pois deriva do fim de uma dor. Para mudar, esse tipo de perfeccionista teria de rever todo o seu sistema de valores, desapegar-se de um tipo de exigência consigo mesmo que, em alguns momentos do passado, pode ter trazido bons frutos. Teria de rever drasticamente a forma como tem conduzido sua vida íntima e também sua prática. Não é raro que só se disponha a isso quando dificuldades e pressões externas assim o exijam. Afinal, não é fácil rever todo um sistema de pensamento que foi produzido pela própria pessoa em decorrência do modo como decodificou sua realidade objetiva e subjetiva. Exige enorme empenho intelectual – que essas pessoas, quando se dispõem, costumam ter.

Os perfeccionistas mais imaturos costumam temer a reprovação social, posto que zelam pela imagem que refletem e não gostam de arriscar sua suposta reputação. O anseio de mudança pode existir, mas o sacrifício e os riscos envolvidos costumam desestimular essas criaturas, uma vez que lidam mal com frustrações e contrariedades. Assim, fazem de tudo para perpetuar sua imagem positiva perante as pessoas e se dedicam apenas a isso.

Em geral, dizem que a empreitada de mudança não vale a pena; na realidade, não se sentem com forças para enfrentá-la. Os perfeccionistas mais exigentes consigo mesmos são os que acham que vale a pena tentar mudar não obstante as dificuldades que terão de enfrentar.

Tanto um quanto o outro tipo experimentam uma frustração íntima, pois muitos são inteligentes e capazes; porém, por força dessa peculiaridade, ficam impedidos de realizar todas as "suas potencialidades" (Erich Fromm). A frustração é grande, mas terá de ser maior que os percalços e riscos que a empreitada envolve. Nem sempre isso aparece como compensador para a pessoa, de modo que a mudança não se realiza. Há boas razões para ela ocorrer, pois o estado de inércia produzido pelo perfeccionismo não traz nenhum tipo de recompensa; o único "benefício secundário" consiste na diminuição dos riscos de dor aguda, que acaba sendo substituída por um sofrimento crônico – supostamente menor.

De forma genérica, penso que cabe mudar porque sair de determinado estado pode significar o fim de algum sofrimento ou corresponder à tentativa de ir em busca de um modo de existir mais gratificante. Esforçar-se para encontrar um modo de viver melhor responde, a meu ver, também à pergunta "Para quê?" O problema são os perigos do percurso: a dedicação e o empenho efetivo podem implicar risco de sofrimento e humilhação – ofensa à vaidade – em virtude de algum fracasso, frustração pessoal por não ter sido capaz – o que faz mal à autoestima de qualquer pessoa.

Não é fácil nem comum que uma pessoa cuja vida esteja razoavelmente estruturada tome a iniciativa de buscar informações ou ajuda para mudar. Assim, quase sempre a movimentação se dá apenas diante de uma situação mais crítica, condição na qual a acomodação em "zonas de desconforto" se tornou insuportável ou está em via de se romper em virtude da ação de outras pessoas. As características do trabalho de um profissional de psicologia ou de um médico numa hora dessas serão objeto de atenção no Capítulo 6. Aqui gostaria de registrar, com ênfase, que creio que qualquer processo de mudança passe pelo fortalecimento da razão. Fortalecer a razão implica, entre outras coisas, aproximar a "consciência oficial" da "consciência maior". Em outras palavras, o indivíduo se fortalece ao prestar mais atenção aos seus atos, pensamentos e sonhos – e isso o levará a conhecer melhor todas as nuanças de si mesmo, todos os aspectos positivos e negativos de sua personalidade. Ele se fortalece quando aceita sua condição de humano falível, quando para de se comparar com outras pessoas e passa a usar a si mesmo como fonte de referência – hoje ele está melhor do que, digamos, estava há cinco anos? A resposta negativa também não deveria desanimar; ela apenas indica a necessidade urgente de se modificar, pois a estagnação é uma das piores coisas que podem nos acontecer.

Tornar-se um indivíduo que está em movimento, em evolução – qualquer que seja a velocidade –, é um projeto razoável que costuma levar as pessoas a não ter dúvida de que vale a pena mudar. Outra vez, as comparações com terceiros são inúteis e improdutivas. Cada um tem seu ritmo e, por vezes, as mudanças são mesmo difíceis, trabalhosas e lentas. O importante é o indivíduo se conscientizar de que mudar faz sentido, que há um porquê e um para quê bem consistentes, cujas recompensas sólidas trarão benefícios suficientes para contrabalançar as eventuais perdas que a renúncia à situação atual implicar. Refazer essa "contabilidade" é tarefa da razão, especialmente da que se alimenta da nossa consciência maior. Não há justificativa para uma pessoa medianamente dotada de inteligência e bom senso se acomodar a um contexto pobre apenas para se beneficiar de pequenos ganhos secundários e fugir de medo das novidades.

O medo corresponde ao estado psicológico compatível com as reações físicas que nos acometem quando estamos vivenciando um contexto de perigo. Faz parte, pois, dos nossos impulsos de autopreservação. São reações fisiológicas naturais, muito úteis diante de ameaças, por meio das quais nos preparamos para a luta ou para a fuga (o que corresponde à chamada "reação de estresse"). O medo é um sentimento fundamental e interessante para nossa economia psíquica. Muitas pessoas ficam envergonhadas por sentir medo e fazem muito mal quando agem assim. O medo é bem-vindo – um aliado –, pois indica a necessidade de prestar atenção especial ao que está acontecendo ao nosso redor ou em nosso íntimo.

Porém, é importante entender que o medo deve ser levado em consideração, mas, como todos os outros sentimentos, não pode ser imperativo. O medo tem de entrar em cogitação, tem de ser peça integrante de nossas reflexões, especialmente quando estamos nos relacionando com nossa consciência maior (a consciência oficial muitas vezes o recrimina, tratando-o como algo próprio dos fracos e covardes). Ainda assim, é preciso avaliar com bastante cuidado quão perigoso efetivamente é aquele passo que pretendemos dar. Muitas são as vezes em que nos inibimos mais do que o desejado em função dos alertas típicos do medo que nascem em nosso corpo (taquicardia, sudorese, tremores nas mãos etc.). Isso não é bom, pois quando não solucionamos o dilema ao qual estamos expostos e para o qual fomos alertados pelo medo acabamos passando um tempo excessivo sofrendo os desconfortos físicos próprios desses alertas, o que caracteriza um estado contínuo de estresse. Nesses casos, o medo e seus sintomas físicos são mais nocivos do que úteis.

Em um processo de mudança, abandonaremos uma condição familiar, na qual o equilíbrio entre os desconfortos e os ganhos secundários está sob controle, para tentar outro estado, um novo ponto de equilíbrio que agora nos parece mais satisfatório. É claro que isso acontece em concordância com nossa consciência maior, nem sempre tão bem avalizada pela consciência oficial. Voltemos ao exemplo, sempre bem esclarecedor, da pessoa por demais generosa que, depois de anos ou décadas agindo de determinada forma, decide deixar de ser tão dedicada a terceiros e cuidar melhor de si e dos seus interesses. Isso acontece quando o equilíbrio interno de forças se desfaz, ou seja, quando os sentimentos de grandeza e superioridade derivados de ter tanto para dar e precisar receber tão pouco perdem para a sensação de estar na mão de oportunistas. Em virtude de um grande número de variáveis, a clareza diante de seu real papel pode levar décadas para chegar.

A pessoa generosa sente-se envaidecida, melhor do que as outras, espiritualmente mais desenvolvida – e em muitos aspectos isso é verdade. Ela se sente gratificada socialmente, pois é parte das grandes virtudes endossadas pela consciência oficial de quase todos nós, dado que o pensamento cristão sempre defendeu a generosidade como grande virtude independentemente de quem sejam os depositários de toda a dedicação. Não compartilho desse ponto de vista, pois distingo altruísmo de generosidade: o primeiro seria uma forma de dedicação anônima a pessoas e causas que não fazem parte do nosso convívio. No caso da generosidade, a regra é que nos dediquemos demais a quem age de forma egoísta, sempre se queixando e exigindo mais. Assim, o generoso reforça a pior parte da alma do egoísta, o que é um mal e não um bem – em especial se o mais egoísta é um cônjuge, irmão ou, pior ainda, filho.

Ao começar, ainda que timidamente, a dizer "não" a alguns abusados, os generosos sentem que estão se transformando em egoístas, que agora estão cuidando mais de si do que deveriam. Erram quando pensam assim, pois apenas estão se tornando menos generosos, talvez conseguindo se aproximar da conduta ética que considero ideal: a de se tornar uma criatura justa, atribuindo iguais direitos a si e aos outros. Porém, a sensação de estar piorando corresponde a um freio, provocando medo de estar caminhando em uma zona perigosa e arriscada, na qual podem até se perder de si mesmos. Isso dificulta e inibe o processo de mudança.

Além disso, surge o medo de decepcionar as pessoas que os conheceram agindo de certa forma e o admiraram justamente por isso. Isso também mobiliza sensações desagradáveis, pois a vaidade se frustra caso "os outros" não os avaliem com tanta consideração e respeito. Nesse caso, estamos acompanhando a atividade da consciência oficial, mais ou menos parecida na maioria das pessoas, que avalia e julga os outros segundo um código padronizado que se recicla com enorme dificuldade. Esses pensamentos consolidados e transferidos de modo pouco crítico de uma geração a outra correspondem ao que chamo de "crenças" (José Ortega y Gasset). Assim, de acordo com as crenças oficiais, a generosidade é uma virtude a ser cultivada e ponto-final.

Os mais generosos podem também ter medo de perder o afeto das pessoas relevantes às quais se dedicam em demasia, de modo que o risco de abandono, solidão e rejeição por parte delas inibe o processo de mudança.

Espero que essa descrição sumária seja suficiente para ilustrar até que ponto os medos podem contribuir negativamente, retardando a evolução ansiada com fervor pela própria pessoa. Esclarece também por que em geral ela só acontece quando um novo ingrediente surge e desequilibra a balança em favor da mudança. Esse novo ingrediente pode ser um abuso descabido e por demais ofensivo de um dos egoístas dos quais se cercaram. Pode derivar de um novo envolvimento sentimental, fato que gera a força necessária para que a pessoa se livre daquela condição dolorosa – uma vez que, é claro, diminui o medo de rejeição e solidão. Pode ser consequência de uma doença mais grave que leve o indivíduo a assumir riscos maiores e radicalizar suas posturas diante da vida. Ou talvez derive de um contato psicoterapêutico eficaz e produtivo que fortaleça a razão da pessoa por fazê-la ver com mais clareza todo o seu contexto. E assim por diante.

Não faço longa menção aqui ao medo da felicidade que pode tomar conta do mais generoso quando ele consegue se livrar de certos comportamentos que o limitam e ganha o direito de cuidar melhor de si mesmo. Isso será objeto, como já afirmei, de um capítulo especial devido à sua importância radical.

Outra variável precisa ser levada em conta quando pensamos nas mudanças no modo de ser de pessoas adultas e já envolvidas em relacionamentos sociais, sentimentais e profissionais. Ela tem que ver com a repercussão de uma eventual mudança sobre todos esses aspectos da vida, já que quase todos nós temos elos que envolvem setores essenciais à nossa sobrevivência física e emocional.

Se uma pessoa generosa estiver se relacionando sentimentalmente com uma egoísta – e essa ainda é a aliança amorosa mais comum – e decidir mudar, encontrará drástica resistência em seu parceiro. Sofrerá ameaças de todo tipo, daquelas ligadas à ruptura do elo aos mais variados modelos de chantagem emocional, condição nada fácil de suportar. As ameaças poderão acontecer em meio a gritos e outras manifestações de revolta própria daqueles que se dizem portadores de um "gênio forte" ou pelo choro, capaz de gerar pena e culpa – sentimentos fáceis de ser provocados no mais generoso. A resistência e a revolta se justificam, posto que a mudança de atitude de um dos membros do par determina um complexo desencaixe. É como se um fosse côncavo e o outro, convexo, estabelecendo-se a aliança dessa forma complementar. Se o que é côncavo decidir se tornar mais reto – na metáfora, menos generoso, mais justo –, é claro que isso desorganizará todo o sistema, levando a uma situação inesperada e difícil de ser resolvida de maneira serena e harmoniosa.

Não raro a pessoa mais generosa é aquela que, direta ou indiretamente, sustenta muitos dos membros de sua família; isso é comum quando foi ela que melhor se deu financeiramente e, só por isso, sente pena dos seus parentes menos dotados – ou culpa por ter sido assim privilegiada. Sente-se na obrigação de ajudar e o faz por longo tempo, até que perceba estar sendo objeto de ironia, de manifestações diretas e indiretas de inveja, de que a ingratidão é a emoção que predomina entre os que ela tanto ajudou. Pode desenvolver uma reação de revolta e tratar de modificar as regras do relacionamento, declarando que, a partir de então, não vai mais ajudar tanto. Sofrerá todo tipo de represália e as reações serão terríveis. Será ela capaz de tolerar os sentimentos de culpa que os familiares tratarão de colocar sobre seus ombros? É pouco provável que consiga, a menos que esteja muito mais forte intelectualmente, que tenha compreendido melhor como se dá a dinâmica das relações íntimas, nas quais a expectativa de gratidão é pura utopia, já que ela só viria das pessoas cujo caráter as impede de receber demasiada ajuda. É fácil criticar quem tanto ajuda a seus parentes; difícil é conseguir agir de modo diferente quando se está em situação similar.

Nas relações profissionais, o panorama não se altera muito. Aquele trabalhador exemplar, que está sempre cobrindo as faltas e falhas de seus colegas, ao declarar que vai deixar de fazê-lo será vítima de todo tipo de agressão e hostilidade. Todos se habituaram àquele comportamento, de forma que ele agora terá de carregar seu modo de ser excessivamente dedicado e servil por todo o sempre, sob pena de ser execrado, rejeitado e desprezado por seus pares. Nas sociedades comerciais em que um é mais calmo e o outro, mais estourado, se o calmo deixar de aceitar o comportamento grosseiro de seu parceiro, estaremos diante de um contexto similar ao das relações conjugais: a possibilidade de ruptura do elo comercial. E suas desvantagens materiais relevantes poderão inibir o ansiado processo de mudança do mais manso e dedicado.

Não espanta, pois, que a maior aposta dos indivíduos generosos que vivenciam esses tipos de relacionamento seja a de que seus parceiros egoístas mudem. Podem se iludir por certo tempo achando que, se forem cada vez mais dedicados, amorosos e amigos, acabarão por induzir condutas semelhantes nos que abusam deles. Esse engano grosseiro também pode retardar os processos de mudança da pessoa mais egoísta, uma vez que a dedicação excessiva apenas reforçará os ganhos diretos e indiretos de quem com ela convive. Assim, as chances de ela se modificar serão mínimas e, caso isso venha a acontecer, terá sido por alguma outra razão que não essa.

Os mais imaturos, exigentes e egoístas também se queixam de seus parceiros, mas não obrigatoriamente ansiando por mudanças. Suas queixas são sempre de que estão recebendo pouco. São reivindicações cada vez maiores que objetivam, entre outras variáveis, ativar cada vez mais os sentimentos de inferioridade de seus parceiros mais generosos. Partem do princípio, nada equivocado, de que eles precisam se achar insuficientes. Sim, porque se conseguirem perceber suas virtudes e quanto estão sendo explorados tal conscientização iniciará um processo de mudança que não lhes interessa.

No próximo capítulo falarei sobre as tentativas de mudança dos mais egoístas, de quanto poderiam fazer em favor deles mesmos. Antecipo que terão dificuldades ainda maiores que as dos generosos, pois será preciso abrir mão de muitas vantagens. Crescer, para uma criança ou adolescente – e é esse o estado emocional dos mais imaturos e intolerantes a contrariedades – corresponde ao aumento de responsabilidades e à diminuição de benesses. Nada fácil, pois as recompensas são mais de natureza emocional do que práticas.

Para finalizar este capítulo, algumas palavras sobre o que significa fortalecer a razão. Tenho usado essa expressão inúmeras vezes em meus livros, sempre no intuito de ajudar as pessoas nos processos de mudança que elas pretendem alcançar. Desejo fazer que alcancem uma qualidade de vida objetiva e subjetiva mais rica e gratificante. Se nossa razão está mais forte, ela pode se interpor a emoções que perturbam as mudanças, tais como a culpa indevida, os medos de diversas naturezas e pouco fundamentados na realidade, a vaidade excessiva, a preguiça e até mesmo o amor. Ela se torna vencedora em embates que caracterizem emoções de um lado *versus* razão de outro; e, de acordo com o que tenho escrito, a existência de duelos desse tipo é fato bastante comum – até mesmo esperado – nos processos de mudança.

Fortalecer a razão significa, como já frisei, aproximar a parte racional da consciência oficial – depositária de inúmeros pontos de vista e crenças vigentes na cultura, muitos dos quais não nos agradam tanto – daquela própria da consciência maior, na qual residem os conceitos nos quais de fato acreditamos. As concepções que fazem parte desta última estão, por vezes, em sintonia com alguns dos nossos sonhos juvenis – muitos dos quais abandonamos porque não conseguimos contrariar normas e valores oficiais. Centenas de jovens renunciaram, por exemplo, a projetos profissionais ousados e estimulantes em favor de uma profissão mais formal, que seguisse o ponto de vista de familiares, amigos e do meio social como um todo.

Ou seja, muitas foram as situações em que, por força de emoções ou circunstâncias, nos afastamos das propostas que efetivamente nos pertencem em favor da adequação social proposta pela consciência oficial. Diminuir esse espaço entre as duas manifestações racionais que convivem dentro de nós – e por vezes se mostram conflitantes, gerando situações que chamamos de ambivalentes – gera uma força enorme, faz que nos aproximemos do ideal – talvez nunca completamente atingível – de não termos qualquer fissura racional interna.

Quando nos reencontramos com ponderações que agradam à parte racional da consciência maior, sentimo-las como verdadeiras; aos nossos olhos, elas não necessitam de comprovação lógica nem precisam ser compartilhadas por toda a comunidade em que vivemos. Quando ouvimos determinados conceitos e eles fazem sentido para nós, surge em nosso íntimo uma sensação de bem-estar, de serenidade própria de quem se encontrou com algo sincero, real. A sensação boa é indício suficiente de que estamos diante de uma ideia que nos pertence, que nos caracteriza.

Esses são os pontos de vista que devemos buscar, pois eles efetivamente nos abastecem e nos alimentam. Fortalecem o lado essencial da nossa razão – o que faz parte da consciência maior – e nos dão a sensação de estarmos mais fortes, mais certos do que queremos para nós, mais seguros – inclusive para enfrentar o modo de ser próprio da razão que deriva da consciência oficial, algumas das emoções que nos povoam e também as reações externas negativas que muito provavelmente encontraremos durante o processo de mudança.

De onde extraímos essas "pérolas" que tanto nos fazem bem e nos alimentam de força e coragem para enfrentar as adversidades típicas do caminho que ansiamos percorrer? Elas estão em toda parte: nas ponderações que fazemos a respeito da vivência cotidiana, nos filmes que nos comovem porque tratam de nossa subjetividade de forma criativa e ousada, na boa literatura, nas artes em geral, nos textos dos grandes pensadores, nas reflexões que tantos sociólogos fazem acerca da nossa contemporaneidade, nas obras de psicologia dos autores clássicos, dos contemporâneos e, espero, neste e em outros dos meus livros.

4 quatro

MUDAR PARA VIR A SER "O QUÊ?"

São duas as motivações que determinam o início dos processos de mudança: medo de perder algum benefício ou privilégio, isso quando a pessoa está sendo pressionada a se modificar por um parceiro, sentimental ou profissional, relevante; ou porque ela se cansou de algum tipo de limitação e, apesar de eventuais ganhos secundários, passa a considerar o desgaste emocional e as perdas mais relevantes que os benefícios. Pouco interessa se o processo se inicia de modo espontâneo na subjetividade da pessoa – como um anseio – ou por força de pressões externas – por necessidade. O importante é que ele se inicie e, aos poucos, ganhe corpo e vitalidade.

O caminho de qualquer mudança provavelmente vai esbarrar em obstáculos, turbulências, dificuldades inesperadas, tropeços associados a retrocessos... Assim, são dois os principais requisitos para que o projeto não seja abandonado. O primeiro deles está ligado à clareza com que a pessoa vislumbra o fim do processo. O segundo depende da existência de disciplina e determinação, subproduto da necessidade ou do desejo intenso de mudança. Em outras palavras, as mudanças de fato se concretizam quando a pessoa sabe muito bem aonde quer chegar, o que efetivamente deseja vir a ser. E essa não é tarefa tão simples, pois a pressão do meio social costuma nos impor projetos de vida que nem sempre estão em concordância com nossa consciência maior.

O obstáculo inicial é mesmo este: tentar distinguir aquilo que de fato desejamos para nós do que nos é imposto pela cultura, pelas pessoas com as quais convivemos, pelo ambiente familiar e profissional. Os objetivos oficiais quase sempre têm relação com o sucesso profissional e financeiro, com a boa aparência física, com a conquista de algum tipo de prestígio e reconhecimento por força de vitórias nessas áreas. Nem sempre privilegiam a serenidade, o bem-estar que pode derivar de um modo de ser e de viver mais ou menos compatível com nossas mais íntimas convicções, a felicidade sentimental, a competência para lidar com as grandes dores da vida ou a tolerância a frustrações e contrariedades.

Num mundo governado pela ideia de que felizes são aqueles que têm acesso a um infinito número de bens materiais, os que conseguem seduzir e encantar eroticamente um bom número de pessoas, interagindo sexualmente com muitas delas; num mundo onde a quantidade prevalece sobre a qualidade e a palavra de ordem é a máxima satisfação dos desejos, quem não se sentir confortável e competente para viver segundo esse modelo – e não tiver fortes convicções pessoais que sustentem um modo de ser diferente do padrão oficial – tenderá a se sentir frustrado, pois será visto como perdedor pelos seus pares.

A confusão tem sido amplificada por alguns pensadores de linhagem psicanalítica que propuseram – alguns ainda propõem – que nossa felicidade e nossa emancipação passam pelo máximo de expressão dos desejos, especialmente os eróticos. Assim, a competência para uma vida sexual livre aparece, para eles, como o caminho do crescimento, do desarmamento e da construção de uma sociedade igualitária e justa. As pessoas sexualmente livres seriam mais doces e amorosas, menos agressivas e belicosas. Definitivamente, não é o que os fatos vêm demonstrando nem o que tenho pensado: acho que se trata de uma visão ingênua da sexualidade, posto que, na prática, as pessoas querem cada vez mais chamar a atenção sobre si; isso tem provocado uma competição feroz, deslealdades, rivalidades e tensões crescentes entre as pessoas. Difícil imaginar uma frase mais equivocada do que a que foi palavra de ordem dos jovens dos anos 1960: "Faça amor, não faça guerra". Usaram a expressão "fazer amor" como sinônimo de relação sexual, o que está longe de ser verdadeiro – quem conhece meus textos anteriores sabe que distingo radicalmente sexo de amor. Além disso, as décadas que se seguiram não trouxeram a pacificação dos seres humanos no sentido do coletivo e muito menos no convívio interpessoal imediato, em que os aspectos "belicosos" só cresceram.

Esse exemplo mostra que é preciso cautela com as ideias que defendemos, pois se elas forem equivocadas dificilmente chegaremos aonde havíamos pretendido. A sexualidade, em sua expressão isolada e desvinculada do amor, tem compromissos com a agressividade bem maiores dos que se costuma pensar, de modo que conduz seus adeptos a caminhos nem sempre tão suaves e serenos. É essencial saber aonde se deseja chegar, o que se quer ser e também que rotas conduzem para lá. Quando se pretende certo resultado e se chega a outro, é preciso honestidade intelectual para reconhecer que as convicções que determinaram aquele projeto de vida, individual ou coletivo, estavam equivocadas. Insistir no erro nem sempre é um tipo de compulsão à repetição. Muitas vezes é parte de uma teimosia e prepotência intelectual própria daqueles que acreditam que as ideias valem mais do que os fatos, devendo prevalecer sobre eles.

Nos casos mais simples, ou seja, naqueles em que não existem ganhos secundários de monta, é fácil identificar os projetos de mudança das pessoas. Pessoas fóbicas, cuja vida é limitada por medos irracionais, definitivamente anseiam por mudanças. Podem não ter a disciplina e a determinação necessárias para enfrentar as dores e os percalços do processo de recuperação, mas devidamente orientadas farão o esforço requerido para atingir suas metas. O mesmo vale para aqueles que são vítimas de hábitos nocivos e mesmo para aqueles que, por compulsão, insistem em ações autodestrutivas: caso percebam que podem viver melhor encontrando outras formas de atenuar seus sofrimentos e ansiedades, certamente terão gosto em modificar os comportamentos inadequados.

O mais importante é saber que os processos de mudança tendem a acontecer graças a uma sequência de experiências e que algumas delas fracassarão. Penso que um dos ingredientes essenciais para quem quer se modificar é aprender a lidar com os "tombos" inevitáveis presentes ao longo dos processos evolutivos. A rápida capacidade de se recuperar de um revés é uma das virtudes que mais admiro nas pessoas. Vejam o exemplo extremo dos atletas profissionais, que disputam campeonatos longos nos quais é quase impossível ser campeão sem perder nenhuma disputa. Um grupo – ou indivíduo – fracassa em um domingo e na quarta-feira precisa estar apto para uma nova disputa! Terá pouquíssimo tempo para se recuperar. Se ainda estiver sob o impacto do resultado negativo, o mais provável é que venha a sofrer outra derrota. Aprender com os erros, perdoar a si mesmo e superar a frustração o mais depressa possível são elementos importantíssimos para os que pretendem alcançar seus objetivos.

As mudanças que requerem clareza na convicção são as que envolvem alterações no modo de pensar que definirão mudanças na forma de interagir com as pessoas mais íntimas; também exigem determinação e firmeza aquelas que pretendem transformar o estilo de vida da pessoa, uma vez que elas comumente estão em oposição à consciência oficial. Já me referi aos comportamentos dos mais generosos e às dificuldades que poderão enfrentar ao buscar um modo de ser mais próximo da justiça. Espero ter sido claro na minha argumentação, toda ela voltada para o fato de que o processo de mudança só se inicia quando a pessoa está realmente convencida de que é isso que deseja para si. Não são eficientes os conselhos de amigos que dizem que ela está sendo trouxa, que estão abusando dela etc.

E os mais egoístas, aqueles que se beneficiam da generosidade alheia, intolerantes a frustrações e contrariedades, incompetentes para controlar suas reações agressivas – especialmente com os mais íntimos –, extrovertidos, que gostam de passar por melhores do que são? Eles querem mudar? Almejam deixar de ser egoístas e gerar a riqueza – no sentido amplo e não apenas material – necessária para o próprio sustento? Desejam se tornar mais tolerantes, menos agressivos, mais sinceros nas relações interpessoais? Penso que sim, mas também creio que a maioria deles reconhece que o caminho será cheio de turbulências e que, se não forem capazes de se superar, não serão suficientemente tolerantes e persistentes para vencer os inúmeros obstáculos que terão de enfrentar. Mas, no fundo da alma, adorariam deixar essa posição na qual só se alimentam de ganhos secundários e estão completamente nas mãos de seus "benfeitores". Gostariam de abandonar essa condição na qual se mostram possuidores de uma força que não têm. Tanto isso é verdade que, na prática, invejam os generosos, dos quais obtêm seus benefícios, e tratam de derrubar a autoestima deles, dificultando que eles conheçam seu real valor, condição indispensável para que não tenham coragem de abandoná-los.

Nas relações afetivas, ameaçam separar-se o tempo todo apenas no intuito de aferir se ainda estão sólidos no cargo. Ameaçam mas raramente executam a separação – que, quando ocorre, na maior parte dos casos, se dá por iniciativa do mais generoso. Nas relações profissionais, quase sempre agem de modo desleal, tentando obter benefícios derivados de esforços de terceiros. Quando bem inteligentes, conseguem bons resultados. Mas a grande maioria acaba tendo carreiras limitadas por não arriscarem demais em suas empreitadas – o perfeccionismo que deriva do medo de fracasso os impede de ser ousados.

Os mais egoístas correspondem a uma boa metade da população. A eles cabe a expressão "imaturidade emocional", pois são inúmeras as situações em que agem como crianças mimadas que não podem ser contrariadas sob pena de ter reações agressivas, de descontrole quase absoluto. Em geral, não têm uma conduta ética sólida, uma vez que são pouco tolerantes para lidar com frustrações. Se surgir algum desejo forte que esteja em oposição aos valores que prometeram honrar, o usual é que o desejo prevaleça. Sim, porque a renúncia ao desejo pode provocar uma frustração insuportável. Admiram e invejam pessoas mais consistentes; as ironias, as farpas que direcionam a elas indicam mais que claramente a presença da inveja. Dizem que gostam muito do seu jeito de ser, são da turma que diz "Eu me amo" com facilidade, mas no íntimo sabem que isso é só fachada, que não são tudo isso.

O exemplo dos mais egoístas – e eles não são poucos – mostra que não basta alguém querer se modificar e saber para onde gostaria de ir. É preciso ter forças para enfrentar todos os obstáculos, disciplina e persistência, e esses não são o forte deles. O trabalho daqueles que se dedicam a ajudar as pessoas a mudar nem sempre é fácil. Esses profissionais, ao menos eles, deverão ter a persistência que seus pacientes nem sempre têm, bem como uma ideia clara, construída em comum acordo com eles, de para onde estão caminhando. Penso muito nessa questão e acredito que são inúmeros os terapeutas um tanto despreparados para ajudar esse tipo de paciente.

Reitero que as mudanças capazes de melhorar a qualidade de vida e a autoestima das pessoas são intensamente desejadas. Em geral, os indivíduos sabem muito bem aonde querem chegar: os fóbicos desejam se sentir mais livres; os que têm maus hábitos ou compulsões querem se modificar desde que os ganhos secundários se mostrem insuficientes para sustentar dado comportamento repetitivo e as perspectivas de novos ganhos superem os obtidos até então; os generosos querem deixar de sê-lo, desde que se convençam de que existem outros ganhos maiores do que os da vaidade e dessa forma sutil e desnecessária de controle e dominação das pessoas com quem se envolvem; os egoístas querem deixar de ser tão fracos e dependentes, uma vez que, mesmo quando se colocam como fortes e independentes, sabem que estão blefando e conhecem sua real condição. Almejam se tornar mais tolerantes a contrariedades, condição de maturidade e competência para lidar com as inevitáveis adversidades da vida adulta.

Acredito que quase todo mundo gostaria de ter mais controle sobre si mesmo, sobre suas emoções e ações. Não creio que uma pessoa incapaz de gerenciar sua agressividade se sinta realmente forte e feliz com isso; pode ser que agir com vigor e de forma exaltada seja eficiente e útil em alguns momentos, desde que com a interferência e o aval da razão, coisa que os mais delicados nem sempre conseguem fazer. Porém, agir de modo descontrolado diante de pequenas adversidades só indica fraqueza e pouco domínio sobre si mesmo. Assim, gerenciar a agressividade significaria poder se valer dela quando se acha conveniente e abster-se de reagir em outros contextos em que a negociação pareça mais útil. A verdade é que a grande maioria das pessoas só sabe agir na base do tudo ou nada: reage violentamente quando convém e quando não seria esse o caso, ou então se cala e não reage nem mesmo quando essa era sua vontade.

Quanto à agressividade, acredito que todos estejamos de acordo. Porém, no que diz respeito ao controle sobre os impulsos sexuais, sobre a vaidade, a ambição, a busca desenfreada de sucesso, o excesso de competitividade... certamente as opiniões se dividem e fica difícil estabelecer uma forma de existir que agrade a todos. Uns preferem ver a felicidade relacionada a uma vida estável e serena tanto do ponto de vista profissional como sentimental. Outros gostam de imaginar a felicidade como uma condição na qual a pessoa está cercada de glórias, luxo, multiplicidade de parceiros eróticos, disputas permanentes. Para uns, a serenidade aparece como sinônimo de tédio e monotonia, algo quase intolerável. Para outros, o difícil de ser sustentado é uma vida rica em aventuras e riscos, em que a dose de adrenalina fica muito acima daquela que eles gostariam de ter no cotidiano. Vamos ver se consigo avançar um pouco e encontrar uma fórmula capaz de criar, naquilo que é essencial, uma condição consensual. Sempre sobrarão diferenças de pontos de vista – aliás, elas foram feitas para ser respeitadas.

Talvez devamos começar conceituando de forma mais clara possível o que venha a ser felicidade, termo genérico que, como tantos outros em psicologia, é usado com múltiplos sentidos e pouco rigor. Minhas considerações sempre levam em conta dois aspectos: o fim das dores e dos sofrimentos e as alegrias que se podem obter em atividades lúdicas. Penso que o primeiro aspecto relacionado com a felicidade é a ausência de dores, especialmente as que derivam da escassez de ingredientes essenciais à sobrevivência digna. Assim, uma condição material mínima, que permita acesso a alimentação adequada, moradia, educação e saúde, é item inquestionável, sem o qual a felicidade não pode sequer ser cogitada. Essa zona de sofrimento, quando resolvida, determina o tipo especial de prazer chamado de negativo justamente porque deriva do fim das dores: quem está com frio, sede, fome e pode se livrar do desconforto experimenta uma sensação de alívio, um prazer negativo. Quem está doente e volta a se sentir saudável, também. Esses prazeres estão relacionados com a extinção de uma dor e surgem quando o indivíduo volta ao ponto zero, aquele do equilíbrio – que, em biologia, se chama homeostase. Na zona do negativo, do sofrimento, não existe felicidade. Os prazeres negativos são efêmeros, desaparecendo a sensação logo que o mal-estar é sanado.

É claro que aos prazeres negativos podem se acoplar prazeres positivos, aqueles que vão da condição de equilíbrio para a das coisas boas. A comida ou a bebida podem apenas saciar a fome ou a sede, mas, caso tenham sabor muito agradável por ser preparadas com esmero, configurar um deleite gustativo. Uma roupa pode apenas afastar o frio, mas também fazer a pessoa se sentir elegante, o que costuma fazer muito bem à sua vaidade. A casa em que se habita pode ser um espaço que nos protege de intempéries, mas também um local onde construímos nosso mundo, cercamo-nos de tudo que apreciamos e sentimo-nos felizes e aconchegados.

Por falar em aconchego, uma das observações mais importantes acerca da separação entre prazeres negativos e positivos tem que ver com o fato de que o amor, de acordo com meu modo de pensar, corresponde a um prazer essencialmente negativo. Desde o nascimento, gerados em um útero aconchegante – o paraíso –, experimentamos uma dolorosa sensação de desamparo, uma curiosa sensação de incompletude, de que nos falta algo. Esse "buraco", que não raramente sentimos na região do estômago, parece ser uma espécie de registro traumático daquilo que correspondeu à dor da ruptura do elo simbiótico materno – a expulsão do paraíso. É uma dor que nos acompanha ao longo da vida, em intensidade variável de pessoa para pessoa, de circunstância para circunstância, e cujo principal recurso atenuador é a reconstrução de um elo dual – o de natureza adulta não deve, é claro, ser simbiótico – com um parceiro adequado – idealmente, com o qual tenhamos muitas afinidades.

Assim, o amor é "remédio" para a dor do desamparo, sendo, pois, um prazer que deriva do fim desse desconforto. É claro que pode estar acoplado a inúmeros prazeres positivos, tais como os de natureza erótica, além daqueles que se originam da boa conversa, dos planos em comum, do ato de compartilhar passeios, atividades culturais etc. O amor em si é antes de tudo paz, harmonia – homeostase – ao lado de alguém que se torna muito especial e, de certa forma, substitui o primeiro elo que tivemos, o materno.

A felicidade depende da presença do menor número possível de desconfortos, o que nos aproxima do estado de serenidade; e também da existência de uma dose adequada de prazeres positivos, aqueles que independem de dor prévia: os do corpo – atividades físicas prazerosas, dança, sexo... – e os da mente – gosto em aprender, cultivo de atividades ligadas à música, ao cinema, literatura, boas conversas. Como já disse, para alguns isso parece pouco. Eles levam uma vida voltada para a aventura, para o risco, para atividades competitivas – nos esportes, como nos negócios e também nas relações humanas. Buscam mais que tudo o sucesso, a glória, ser capazes de se sobrepor aos rivais e concorrentes. Sentem um enorme prazer nisso, um tipo de satisfação ligada à vaidade, prazer erótico por excelência ligado ao ato de se destacar, chamar a atenção sobre si, atrair olhares de admiração, inveja e, eventualmente, de desejo.

Só não podemos deixar de lado o fato de que os prazeres que envolvem mais que tudo a vaidade são de caráter efêmero, ou seja, satisfazem por pouco tempo e logo pedem outra "dose" de sucesso ou de conquista. Assim, os que se envaidecem em decorrência do sucesso financeiro nunca estão satisfeitos com seu patrimônio; sempre se comparam com os que têm mais que eles e buscam alcançá-los. Nada os satisfaz, pois logo se busca outro sonho de consumo, outra soma de dinheiro a ser alcançada. Os esportes competitivos também são voltados para esse tipo de disputa, em que sempre se pode melhorar, sempre se pode superar um adversário. Nas atividades acadêmicas, muitos parecem menos interessados em aprender do que em fazer sucesso, atentos que estão aos postos que conseguem alçar. Na política, parece-me que quase todos querem, um dia, tornar-se o presidente da república, ou seja, o número um.

Penso que não é o caso de nos colocarmos radicalmente contra a busca de sucesso e o gosto pela competição, pois sem dúvida se trata de propriedades da vaidade – a qual todos temos em boa dose. Acho que, como todas as emoções, essa também deveria estar sob a guarda da razão. Precisamos ficar atentos para que nossos projetos de vida e nossas decisões não sejam governados exclusivamente por ela. Além disso, é preciso compreender que a competição pode agregar certa graça ao cotidiano, mas não deveria ser a essência de nossas aspirações: as chances de fracasso e, portanto, de sofrimento são grandes demais para que essa seja nossa atividade principal. O mais razoável seria que as disputas acontecessem sobretudo na área dos esportes ou do trabalho – em que ela existe independentemente de nossa vontade –, mas que as questões do amor, da sexualidade e da vida social tivessem outro tipo de tratamento: que nos dedicássemos mais que tudo a cultivar as boas e sólidas relações que tenhamos sido capazes de construir.

Cultivar prazeres não competitivos, tais como os relacionados com os do corpo e principalmente os intelectuais, ao lado do parceiro sentimental e dos amigos queridos, compartilhar com eles as alegrias do aprendizado sem precisar ser o melhor, o que sabe mais, o que tem mais títulos – tudo isso provoca uma dose de alegria que nos alimenta, abastece, sacia e não provoca a insatisfação típica dos prazeres relacionados com a vaidade, esta, sim, sempre insaciável. Não excludentes, esses prazeres podem ser compartilhados por muitas pessoas. Porém, penso que o essencial deveria ser a busca de serenidade, de paz de espírito, de crescimento emocional. Em uma palavra, de nos tornarmos cada vez mais competentes tanto para dominar o corpo como para submeter nossas emoções ao controle da razão. É claro que isso não significa reprimir emoções, mas deixar de ser criança e se governar por aquilo que parecer mais conveniente, sem estar permanentemente submetido aos desejos imediatos.

Posiciono-me insistentemente contra a cultura contemporânea que prega o reinado do desejo, posto que, como já registrei, isso me parece estar vinculado a todas as maiores mazelas do nosso tempo: esvaziamento das amizades, liquefação das boas relações amorosas, competição e rivalidades desmedidas, aumento da violência e desatenção total ao que possa ser o futuro do nosso planeta. Reconhecer a presença de todos os tipos de desejos e emoções em nós não implica tornarmo-nos escravos delas. Somos mamíferos, sim. Porém, dotados de uma mente capaz de produzir pensamentos éticos e morais, apta a pensar em termos de empatia e solidariedade, e não apenas em nossos interesses imediatos.

Convém, pois, ao elaborar um projeto de mudanças, que a pessoa leve em conta suas reais forças, ou seja, se será capaz de enfrentar os obstáculos que certamente terá de ultrapassar para atingir seus objetivos. Convém também refletir muito seriamente sobre quais são seus planos, ou seja, em que direção ela deseja mudar. O mais interessante é conseguir se livrar da ditadura da cultura em que vive – a qual se insere em cada um de nós principalmente pela consciência oficial – e tratar de elaborar um projeto que englobe seus anseios reais, profundos e sinceros.

Não é fácil forjar um caminho próprio numa época como a nossa, na qual supostamente vivemos uma era de plena liberdade mas, ao mesmo tempo, sofremos pressão para uma uniformização que talvez seja máxima. Os meios de comunicação nos alcançam por todas as vias, a publicidade se insinua em nossa mente sugerindo e propondo produtos de toda natureza. Somos metralhados por novos anseios e desejos que rapidamente se transformam em necessidades – parece que, sem eles, não conseguiremos sobreviver. As contradições estão aí para quem quiser observar: temos acesso a alimentos prontos e de paladar agradável em qualquer esquina, coisa que não existia até há algumas décadas; porém, ao mesmo tempo que vivemos mergulhados nessa fartura, o bacana, o mais valorizado é a magreza! Difícil não se confundir e não se deixar envolver por ambos os estímulos; é preciso cautela, pois senão gastaremos parte do nosso dinheiro ingerindo alimentos deliciosos e desnecessários e outra parte em tratamentos e dietas para perder peso.

Uma das opções que as pessoas terão é exatamente esta: a renúncia a determinados prazeres gustativos em favor de uma vida mais saudável e de maiores chances de longevidade com boa disposição, ou seja, o usufruto dos prazeres em prejuízo não só da qualidade de vida como da estética – campo em que reina nossa vaidade. O curioso aqui é que a cultura se coloca a favor de ambos: defende a longevidade, o pleno exercício dos desejos e o usufruto da maior quantidade possível de todo tipo de prazer. Em outras palavras, deveríamos ter duas vidas ao mesmo tempo: uma para nos cuidar e outra para nos gratificar. Surgem as soluções de compromisso: sacrifício nos dias de semana e deleites em exagero nos fins de semana e nas férias. Não acho que seja uma boa solução, até porque assim toda segunda-feira passa a ser um dia horroroso.

Penso que os detalhes de como a pessoa gostaria de ser vão depender do modo de pensar de cada um. Porém, alguns requisitos podem ser consensuais e tratados como universais: a maturidade emocional corresponderia ao controle, por parte da razão, dos impulsos, que, para ser exercidos, precisariam de seu aval. A maturidade acontece, segundo creio, quando o indivíduo se torna senhor de si mesmo. Quando não obedece às normas externas, muitas delas presentes em sua consciência oficial, nem aos seus impulsos. Maturidade implica pleno conhecimento de si mesmo, proximidade com a consciência maior, aquela que convive de modo sincero e aberto com todas as nossas emoções, mas também com as convicções éticas de onde derivam formas consistentes de ação concreta.

A meta das mudanças mais voltadas para o plano existencial (sobre as de natureza prática já escrevi, e elas me parecem inquestionáveis) tem que ver com o fortalecimento da razão para que possamos realizar nossos verdadeiros sonhos. É claro que tais sonhos podem estar em concordância com os do meio social e familiar em que viemos. Podemos perfeitamente ansiar pela fama e pela fortuna às quais a maior parte dos nossos contemporâneos anseia. Porém, também é possível sonhar com uma vida singela, voltada para as artes e para o conhecimento, para o convívio harmônico com a natureza, para atividades socialmente úteis mas não obrigatoriamente muito rentáveis.

Não só podemos sonhar com um modo de vida peculiar como é nosso dever fazer os movimentos para que ele se torne exequível. Tenho convicções bem firmes quanto a esse ponto de vista. Penso que nos afastamos da felicidade quando abandonamos nossos projetos por qualquer motivo que seja. Muitas vezes, a pessoa deixa uma atividade para a qual se sente inclinada porque não é rentável. Vai em busca do sucesso material e vive em eterna tristeza. Infinitas vezes os indivíduos abrem mão de uma paixão sentimental por causa dos obstáculos presentes em seu percurso. Acomodam-se em relacionamentos desgastados e vivem infelizes para sempre.

É preciso ousar, tentar realizar os sonhos que elaboramos. Quem acha que não terá condições de ousar e tratar de perseguir seus sonhos não deve construí-los. Viver sem sonhos pode ser triste, mas mais doloroso é tê-los e não persegui-los. Isso é muito mais terrível que tentar e fracassar. É claro que penso sempre em sonhos que dependam somente da gente; não cogito os sonhos, românticos ou não, em que existam outros personagens e todos têm de agir de acordo com nossas aspirações para que o projeto seja um sucesso. Penso menos ainda nos sonhos impossíveis, aqueles que nunca vão se realizar – ou que, se viessem a acontecer, seria por mera fatalidade, como ganhar na loteria.

No final das contas, o que mais me vem à mente neste momento é que todo processo de mudança deveria ter como objetivo principal o crescimento pessoal, tanto emocional como moral. Aqueles que alcançarem esse patamar saberão muito bem o que desejam fazer da vida e terão coragem, disciplina e determinação para ir atrás de seus sonhos.

COMO MUDAR?

cinco

Levando em conta o que escrevi até aqui, a primeira grande conclusão a que se chega é a de que é mesmo muito difícil mudar! São tantos os obstáculos para os que desejam verdadeiramente alterar aspectos do seu modo de ser que não espanta que os resultados da maior parte dos trabalhos terapêuticos não sejam nada brilhantes. Dessa forma, os profissionais de psicologia com bom senso, idoneidade e experiência deveriam ser humildes em suas pretensões, assim como em qualquer manifestação pública. Aquilo que é essencial em cada um de nós é provavelmente imutável – entre outras razões, porque dependemos em boa parte de nossa biologia, que participa ativamente de todas as etapas da nossa existência, por vezes como protagonista e outras vezes assumindo um papel menos relevante. Dependemos do ambiente cultural e tecnológico em que crescemos, e a ele devemos nos adaptar a cada momento, sobretudo numa época em que tudo muda muito depressa. Dependemos do que já vivenciamos, da família em que nascemos, da condição socioeconômica em que crescemos, dos professores que tivemos e da influência que eles exerceram sobre nós.

Dependemos fundamentalmente daquilo que pensamos e concluímos a respeito de nossas vivências ao longo dos anos de formação. Dependemos dos erros e acertos dessas conclusões, de como nos posicionamos diante das primeiras adversidades, dos nossos primeiros revezes e da maneira como isso nos influenciou. De certa forma, o que somos é, em grande parte, fruto de nós mesmos. Somos seres "autofabricados" e, em muitos aspectos, gostamos da obra que realizamos, de modo que nem sempre estamos tão dispostos a modificá-la.

É claro que gostaríamos de modificar algumas peculiaridades da nossa forma de ser, entre elas os hábitos que adquirimos por repetição e não nos beneficiam. Já me referi ao fato de eles se consolidarem apenas pela via dos reflexos que se condicionam (repetição de estímulos e respectivas reações), "pavimentando" trajetos neuronais facilitados que tendem a se repetir de forma automática e hermética. Ortega y Gasset diz, com propriedade, que temos grande capacidade para associar mas enorme dificuldade de dissociar. Ele diz ainda que as tentativas de desfazer associações exigem de nós o exercício de toda nossa potência psíquica, expressão que me parece adequada e se assemelha à usada por Otto Rank, que fala em "vontade" como força racional essencial para qualquer processo de mudança.

Se os hábitos simples já são difíceis de modificar, que dizer das compulsões, também hábitos que se consolidam ainda mais porque atenuam algum tipo de ansiedade, provocando importante prazer negativo? Não creio que devam ser entendidos como processos autodestrutivos; essa é só uma impressão superficial. Está relacionada com algumas consequências até mesmo nocivas – um subproduto não desejado, já que o intuito primeiro é o de atenuar a ansiedade. São bons exemplos de compulsões roer as unhas, arrancar os cabelos (tricotilomania), vários tipos de automutilação (produzir feridas na pele, cortar-se com lâminas, por exemplo), além de muitos dos comportamentos compulsivos próprios do transtorno obsessivo-compulsivo (TOC). As compulsões são extremamente difíceis de ser combatidas; a seguir, falarei sobre as estratégias terapêuticas propriamente ditas.

As compulsões alimentares estão entre as mais comuns, pois a boca é uma parte do corpo muito propícia para ações que aliviam a ansiedade: logo depois do nascimento, é provável que o momento de menor ansiedade e maior aconchego tenha sido o da amamentação, no qual o bebê está fisicamente muito próximo da mãe. Algum tempo depois, ele é estimulado a se valer da chupeta, objeto que substitui o seio e tem a finalidade de atenuar a ansiedade e a sensação de desamparo da criança quando a mãe está indisponível. Quando a chupeta sai de cena, entram o dedo, as balas, a goma de mascar, o cigarro, os doces – em especial o chocolate. A boca é problemática para um bom número de pessoas que não conseguem passar mais que alguns minutos sem abastecê-la com algum tipo de gratificação.

No caso do comer compulsivo, as complicações são evidentes, pois além do prazer negativo associado à atenuação da ansiedade e da sensação de desamparo as consequências nefastas são bem evidentes: implicam uma deformação do corpo nada agradável, especialmente nos dias que correm. É claro que as outras formas de automutilação também provocam danos ao corpo, mas podem ficar escondidos sob as roupas. No caso do sobrepeso, o prejuízo é explícito. Quando a compulsão alimentar está presente numa pessoa extremamente vaidosa, a questão pode se complicar, pois a solução usual reside no uso de laxantes ou no surgimento de um novo hábito, o de provocar o vômito para se desfazer da sobrecarga calórica recém-ingerida. São pessoas que não conseguem impedir a ingestão excessiva nem querem pagar o tributo da obesidade. Encontram uma solução nada saudável: a bulimia.

Uma complicação ainda mais sofisticada, relacionada com a questão alimentar, corresponde ao fenômeno da anorexia nervosa. Quase sempre o distúrbio acomete moças jovens que se empenham em dietas rigorosas, procurando ficar magras para seguir o padrão atual de beleza. Aos poucos, vão "pegando o gosto" por comer cada vez menos, passam a se sentir competentes e superiores por conseguir se alimentar tão pouco e desenvolvem uma espécie de transtorno obsessivo: sentem forte ansiedade quando comem um pouquinho a mais. Só se apaziguam ao não comer, invertendo, de certa forma, a compulsão alimentar tradicional. A partir de determinado ponto, parecem preferir morrer a se alimentar adequadamente; não raro, necessitam de internação hospitalar para ser alimentadas por via parenteral. É evidente que, nesse caso como em tantos outros, além da compulsão está em jogo a vaidade, ou seja, o desejo de se apresentar socialmente de forma que chame a atenção e impressione as pessoas.

Não vejo motivação autodestrutiva na anorexia, como não a vejo em praticamente nenhuma circunstância; resultados de caráter nefasto acontecem como subproduto de condutas que implicam algum ganho para a vaidade ou até mesmo para a autoestima: a pessoa capaz de dominar seu apetite dessa forma pode se sentir forte e poderosa, apta a conquistas incomuns. Penso o mesmo dos indivíduos que se sacrificam enormemente no intuito de ganhar poder e domínio sobre o corpo, como é o caso dos maratonistas amadores – que acordam de madrugada por meses a fio para treinos dificílimos cujo único objetivo é finalizar uma prova que é uma verdadeira proeza. O mesmo acontece com os médicos que conseguem trabalhar, em plantões exaustivos e desgastantes, por 36 horas seguidas, dispensando o sono e o repouso.

O que aparece como evidente, segundo penso, é o fato de que muitas pessoas invertem a sensação de prazer, que, como regra, depende do usufruto de um requintado prato de comida, de dias repousantes, de noites bem-dormidas. Sentem satisfação em se considerar mais disciplinadas que a média justamente por ser capazes de renunciar a esses prazeres. Em síntese, a abdicação às alegrias imediatas faz surgir um novo tipo de prazer: o da renúncia. Isso está longe de ser parte de um processo destrutivo. Tem que ver mais que tudo com a vaidade – prazer de se exibir como forte e firme – e com a autoestima – sentir-se poderoso intimamente.

Além dos hábitos e compulsões, aos quais já me referi várias vezes, precisamos levar em consideração os vícios, hábitos que se tornam ainda mais sólidos e firmes em virtude da consolidação de conexões neuronais fortemente reforçadas pela dependência que se estabelece entre uma pessoa e determinadas drogas, contextos ou situações. As dependências são de dois tipos: as de natureza química e as essencialmente psicológicas. A tendência da maioria das pessoas é de atribuir mais relevância às dependências químicas, pois elas reforçam drasticamente as conexões neuronais que funcionam de modo automático e cuja não satisfação provoca crises de abstinência de dimensão e intensidade variadas. O exemplo mais marcante, por ser o mais comum, é o da dependência química da nicotina; ela provoca uma necessidade urgente de inalar a fumaça do cigarro a cada determinado intervalo, sob pena de um aumento da irritação e da inquietação desagradável. Ao estado de desconforto que deriva da ausência da droga no organismo chama-se vulgarmente "fissura".

Só quem sentiu na pele sabe avaliar a intensidade e o peso da dependência química. Agora, se esta se esvai depois de poucas semanas após a supressão do uso regular da nicotina, a dependência psicológica, aquela saudade do "companheiro leal" nas horas de ansiedade e solidão, pode durar anos – e para alguns não se esgota jamais. A dependência química da nicotina provoca um tipo de prazer negativo, uma vez que fumar um cigarro provoca, mais que tudo, o fim do desconforto e da vontade de fumar. Alguns desdobramentos psicológicos também provocam prazer negativo: eles estão relacionados ao prazer de ter algo na boca, um bom substituto da chupeta que causa alívio da ansiedade apesar de o efeito químico da nicotina ser estimulante. Até há pouco tempo, o cigarro também provocava uma sensação agradável e estimulante para a vaidade, pois o indivíduo se sentia mais atraente, sedutor e interessante quando estava fumando – o que correspondia a um prazer positivo. Hoje, essa situação se inverteu e as pessoas passaram a ter vergonha de ser fumantes. O que aconteceu? O número deles só vem diminuindo, o que indica que as políticas públicas que têm sido usadas contra o consumo de nicotina estão no caminho certo.

A dependência de outras drogas é diferente, pois seu uso provoca sensações agradáveis, prazerosas a ponto de os usuários desejarem repetir a experiência. Determinam, pois, um prazer positivo, algo agradável que pede repetição inicialmente por força da sensação boa e depois em virtude da dependência química derivada da nova e eficiente rota neurológica que se pavimentou. Os efeitos nocivos das drogas costumam aparecer um bom tempo depois, de modo que as gratificações são o motivo do uso e do consumo; os aspectos destrutivos são, outra vez, um subproduto indesejado e muito menos buscado.

A dependência psicológica é a principal responsável por vários outros comportamentos classificados como vícios porque se repetem constantemente, gerando prazeres positivos imediatos e malefícios em médio ou longo prazo. Assim, os viciados em jogos de azar – nome mais que impróprio, pois os jogadores estão em busca de reencontrar sua sorte; os que não conseguem parar de trabalhar a não ser para o descanso mínimo – conduta que hoje chamamos de "*workaholic*" –, extraindo daí enorme prazer tanto para a vaidade como para a autoestima, com eventual prejuízo posterior para a saúde; os consumidores compulsivos; os viciados em conquistas eróticas etc. A ausência de ingredientes específicos que determinariam a dependência química não impede que essas condutas se consolidem também do ponto de vista neurológico e se tornem muito difíceis de combater. Ou seja, a dependência psicológica provavelmente também tem repercussões neurológicas e em tudo se assemelha à de caráter químico.

A dependência psicológica existe também em muitas das compulsões, que, em virtude de atenuar a ansiedade, provocam uma satisfação que tende a se perpetuar mesmo nos casos em que os ganhos parecem imperceptíveis e os malefícios são óbvios. É incrível, mas é dificílimo, para uma pessoa que desenvolveu a compulsão de roer unhas, abandonar esse comportamento que enfeia suas mãos e não raro provoca infecções e dor nas extremidades dos dedos.

São inúmeras as descrições, hipóteses e teorias gerais que tentam explicar as origens das nossas dificuldades e procuram entender como funcionam a mente e as conexões entre ela e o cérebro. Nós, profissionais de psicologia, temos sido pródigos nisso, e muitos são os que acreditam – ou fingem acreditar – que dispomos de mecanismos terapêuticos tão eficientes quanto nossa capacidade de desenvolver raciocínios e estudar a fundo esse ou aquele autor de cujos textos se tenta extrair algum saber a mais. Poucos, porém, têm a honestidade intelectual de reconhecer que nossos recursos para ajudar efetivamente aqueles que nos procuram são escassos e ainda bastante incipientes. As teorias são várias e algumas conseguem resultados interessantes em determinados problemas, enquanto outras servem melhor em outros casos.

Sem otimismo ou simplificações, vou colocar meus pontos de vista a respeito de como encaminhar o trabalho de ajuda àqueles que nos procuram. Reafirmo que esse deve ser o aspecto essencial e a razão de tudo que se pensa e escreve. Se não formos capazes de traduzir nossas reflexões em resultados concretos e satisfatórios, estaremos apenas nos deleitando com um jogo intelectual similar aos quebra-cabeças ou às palavras cruzadas.

Meu primeiro contato mais sério com as estratégias comportamentais para o tratamento de pacientes fóbicos foi em 1970, na Universidade de Londres. Eu já convivera com psicólogos que haviam estudado nos Estados Unidos e tinham se encantado com as teorias de Burrhus Frederic Skinner, com as quais eu não simpatizara por ainda estar muito influenciado pela minha formação anterior, voltada para as ideias psicanalíticas – afora o uso, que sempre fiz, dos recursos farmacológicos cujas estratégias me foram apresentadas nos anos de formação na Faculdade de Medicina da Universidade de São Paulo. Em Londres, convivi com um grupo de terapeutas comportamentais liderados por médicos, condição diferente da dos psicólogos que haviam estudado nos Estados Unidos. Aprendi, mais que tudo, a não desconsiderar nenhuma hipótese e a buscar resultados terapêuticos – perseguindo os benefícios efetivos aos pacientes acima de toda e qualquer teoria.

O tratamento de fobias sempre foi um dos pontos fracos dos que buscavam resultados pela via da psicanálise. Os processos fóbicos parecem ter origens mais ou menos singelas, menos simbólicas do que gostam de ver esses terapeutas, sempre ávidos por explicações sutis e complexas. As estratégias comportamentais baseiam-se na tentativa de detectar as prováveis vivências traumáticas que desencadearam o estabelecimento das fobias e na busca de um roteiro – uma sequência, progressiva e gradual – que permita à pessoa reaproximar-se daquilo que, um dia, determinou o surgimento de um medo irracional. As técnicas de dessensibilização sistemática assemelham-se às que, em medicina, são usadas para o tratamento de algumas alergias – a pessoa vai sendo exposta, lenta e progressivamente, a situações mais e mais difíceis –, isso tanto em fantasia como em situações reais. Quando em fantasia, usa-se a estratégia de fazer que a pessoa imagine as situações que a apavoram em um estado de relaxamento muscular profundo; as imagens aversivas vão sendo solicitadas e alternadas com outras agradáveis. No caso do enfrentamento por intermédio de vivências reais, mais árduas e talvez mais eficientes, a exposição pode ser gradual ou radical; neste último caso, o paciente é posto em contato com tudo que ele mais teme – é claro que sempre com a anuência dele e com a devida cautela.

Não cabe aqui uma descrição detalhada das técnicas terapêuticas. Gostaria apenas de registrar que as estratégias comportamentais incorporaram, em um momento posterior, um aspecto cognitivo, ou seja, passaram a tentar interferir também sobre o modo como as pessoas pensam, sempre com o objetivo concreto e mais imediato de ajudá-las a viver melhor. Nem sempre os resultados são tão auspiciosos quanto os que são propagados – consideração igualmente válida para as outras estratégias terapêuticas. São técnicas que funcionam melhor do que as de caráter dinâmico no tratamento das fobias e dos hábitos que se pretende extinguir. Não raro os tratamentos são mais bem-sucedidos quando associados a recursos farmacológicos, posto que muitos dos antidepressivos de uso corrente também são bons tranquilizantes para os medos.

No caso das compulsões e dos vícios, estamos diante de desafios maiores, de modo que a escolha de um caminho para o tratamento é bem mais complicada. Na prática, a necessidade de complementar qualquer tentativa psicoterapêutica com medicamentos se faz, como regra, obrigatória. Os problemas envolvidos vão muito além das causas que determinaram o estabelecimento daquela conduta indevida. Se existem ansiedades associadas e aliviadas pelas compulsões, elas terão de ser bem entendidas e equacionadas antes de pensar em implementar estratégias comportamentais. Afinal, estamos diante de situações nas quais os maiores benefícios surgem quando, sem preconceitos ou dogmas, nos valemos de remédios, propostas de natureza comportamental e também de caráter dinâmico e existencial. Ainda assim, não devemos subestimar as dificuldades nem pensar que os resultados sempre serão brilhantes. Os dependentes químicos, por exemplo, não raramente têm recaídas, devendo eles próprios decidir lançar mão de todo seu vigor psíquico, de toda a sua Vontade – propositadamente em maiúscula – para que consigam, humildemente, combater um inimigo dos mais poderosos.

Raciocínio similar vale para os casos de anorexia nervosa e para os que padecem de TOC e dos demais tipos de comportamento compulsivo que se estabelecem de forma sutil e complexa no psiquismo e também no cérebro. Os eventuais resultados positivos sempre devem ser imputados aos pacientes, que, valendo-se de sua potência psíquica, decidiram enfrentar obstáculos complexos e em circunstâncias nas quais a interação entre a mente e o cérebro se faz presente o tempo todo. É por esse aspecto, e tendo acompanhado tantos pacientes com essa determinação e disciplina, que penso que o fortalecimento da razão é o que propicia resultados por vezes assombrosos, permitindo que os indivíduos consigam reverter processos enraizados e quase cristalizados. A disciplina, que corresponde à vitória de uma razão forte e determinada sobre a preguiça, sobre as "fissuras" de todo tipo, entre outras emoções intensas capazes de nos derrubar, é peça essencial no meu modo de pensar quando se pretende levar a sério a possibilidade de recuperação psicológica das pessoas.

É firme minha convicção de que, em várias situações, nossa atividade mental e nossos raciocínios se mostram mais relevantes e fortes do que todo o poder derivado das conexões neuronais que foram se construindo ao longo do tempo – isso, é claro, quando o cérebro está funcionando dentro dos limites da normalidade. Por exemplo, em condições extremas, em que a pessoa está com algum problema mais sério de saúde, ela deixa de fumar de um dia para o outro, desconsiderando as dores relacionadas com a dependência química e até as de caráter psicológico. O mesmo acontece com a postura, que rapidamente se aprimora quando surgem as dores na região lombar. Se somos capazes de agir com essa urgência e desfazer hábitos ou vícios arraigados diante de alguma adversidade maior, poderíamos perfeitamente fazer isso também de forma preventiva, ou seja, abandonar o cigarro e acertar a postura antes que as doenças se manifestassem.

Há outras situações, no entanto, em que o inverso parece ser o mais verdadeiro: nos casos de um distúrbio chamado de estresse pós-traumático, a vivência dolorosa determina algo parecido com uma "ferida" em algum lugar do cérebro. Essa "ferida" por vezes fica calma, como que adormecida, e a pessoa vive como se não tivesse nenhum problema maior. De repente, ela se abre e as dores são idênticas às do momento do trauma. Assim foi a vida de muitos dos judeus que conseguiram sair vivos dos campos de extermínio dos nazistas, alguns dos quais tive a oportunidade de acompanhar: estavam razoavelmente bem e, de repente, tinham um sonho ruim e os dias que se seguiam eram de terror, como se o tempo fosse incapaz de apagar aquelas marcas e eles ainda estivessem sob o impacto das mesmas emoções vividas décadas atrás.

Situações similares são experimentadas por algumas vítimas de violência urbana, assaltos à mão armada e outros acontecimentos que podem ganhar grande estabilidade no sistema nervoso delas – é interessante notar que as mesmas vivências marcam dramaticamente algumas pessoas e em outras não deixam nenhuma sequela. Nos casos agudos, aqueles em que a vivência traumática é recente, além de eventual acompanhamento psicoterapêutico, considera-se fundamental o uso de medicamentos que podem diminuir as chances de formação e consolidação disso que estou chamando, metaforicamente, de "ferida" cerebral. Nos casos crônicos, sua prescrição tem por objetivo minorar o sofrimento e facilitar o processo psicoterapêutico.

Se para assuntos relacionados aos hábitos e aos medos as técnicas cognitivo-comportamentais têm se mostrado mais eficientes do que as de caráter dinâmico, penso que elas ajudam menos quando se trata de assuntos que envolvem os sentimentos de culpa indevidos – que fazem tanta gente sofrer –, assim como de tantos outros assuntos relacionados com aspectos éticos. Estes deveriam ser levados mais a sério, uma vez que definem as normas que regem as relações interpessoais. Nem todos os indivíduos sentem culpa; os generosos são os que mais padecem desse sentimento – que, além de ser um importante freio interno que os impede de agir com deslealdade, muitas vezes se manifesta de modo exagerado, criando condições favoráveis para que a pessoa abra mão de privilégios pessoais justos em favor de quem não os merece.

A maior parte dos problemas relativos à dinâmica das relações amorosas, algumas das questões da sexualidade, os desdobramentos dos avanços tecnológicos que determinam mudanças no jeito de ser e pensar de todos nós, por vezes subtraindo a serenidade de pessoas que estavam bem adaptadas até que as mudanças as desorganizassem e tantas outras questões da esfera existencial são mais bem tratados pelas técnicas de psicoterapia dinâmica – aquelas em que, por meio de conversas e da escuta acurada do paciente, conseguimos ajudá-lo a decodificar algumas características do seu modo de agir e pensar diante de certas situações que podem estar prejudicando sua qualidade de vida.

Desde o início deste livro tenho insistido na questão da escuta como aspecto fundamental da maneira como penso a psicologia humana. Dado o nosso caráter único, qualquer tentativa de enquadrar uma pessoa que está se desnudando diante de nós em certa teoria que nos pareça saborosa não só não pode levar a resultado nenhum como indica descaso pela individualidade de quem necessita de compreensão e ajuda. Ouvir cada pessoa com isenção e respeito para que o processo de evolução do conhecimento psicológico continue a avançar é difícil. A tendência dos profissionais é a de se reafirmar, se fortalecer por meio da defesa, por vezes dogmática, de pontos de vista tidos como consolidados e confirmados porque elaborados por figuras importantes da curta história da psicologia e das psicoterapias.

O bom encaminhamento dos trabalhos psicoterápicos de natureza dinâmica ou existencial tem que ver com a capacidade do terapeuta de penetrar, como um *hacker*, na estrutura do pensamento de seu paciente. É preciso entender como sua mente funciona, verificar onde ocorreram erros de avaliação dos fatos, onde possam ter sido criados pensamentos um tanto incoerentes que costumam conduzir a resultados negativos, diferentes daqueles que a pessoa gostaria de alcançar. As conversas sobre esses temas, antigos e atuais, podem ser feitas em termos mais formais, como no caso da psicanálise tradicional, ou de modo mais fraterno, coloquial, menos autoritário – é esse meu posicionamento pessoal. De todo modo, é sempre bom registrar que cada terapeuta deve agir em concordância com sua natureza, buscando se posicionar com coerência, condição para que possa angariar a confiança de seus pacientes. A confiança é essencial para que o indivíduo, não se sentindo jamais julgado ou criticado, consiga ficar confortável e dizer tudo que lhe atormenta.

Em uma tentativa de síntese, sempre incompleta, penso que o processo que mais caracteriza as técnicas dinâmicas e existenciais de psicoterapia seja o de buscar aproximar a consciência oficial da consciência maior. Isso tanto do ponto de vista dos aspectos racionais como daqueles de ordem ética e emocional. Em muitos casos, trata-se de ajudar o paciente a se livrar de crenças que o impedem de perceber com clareza o que se passa em seu íntimo, permitindo assim o convívio com emoções e raciocínios mais verdadeiros. Por exemplo, é crença aceita de forma quase unânime que temos de amar nossos pais, especialmente nossa mãe. Acontece que não são poucas as pessoas que se sentem mal por não se reconhecer capazes de sentir o amor que "deveriam". Elas precisam se livrar dessa crença, própria da parte racional da consciência oficial, condição importante para fazer uma avaliação mais precisa do contexto em que foram criadas e talvez aceitar que não podem cobrar de si mesmas um amor que não existe; em contato com a consciência maior, encontrarão as razões pelas quais o sentimento se esvaiu e talvez consigam aprender a conviver, sem culpa, com o verdadeiro sentimento que nutrem pela mãe, situação em que experimentarão grande alívio.

A capacidade de reduzir as crenças e abandonar muitas das normas e emoções pedidas pela consciência oficial, assim como a aceitação de que somos governados pela consciência maior que nos habita e onde residem raciocínios mais sinceros, valores mais consistentes e emoções mais verdadeiras, determina um estado de harmonia e serenidade importante, além de atenuar – ou, pelo menos, explicar – muitas das ambivalências, tanto racionais como emocionais, que nos incomodavam. O trabalho psicoterapêutico deve ser conduzido com sabedoria, em um ritmo compatível com a capacidade de cada paciente. Essa percepção depende, mais que tudo, da habilidade, da intuição e dos dons de cada terapeuta.

Não pretendo aqui esgotar todas as variáveis que permeiam o trabalho de um psicoterapeuta, de modo que esse é apenas um exemplo, entre muitos outros, de como ajudar cada pessoa a conviver melhor com o que há de mais sincero e verdadeiro dentro dela. Ajudá-la a se livrar de crenças, concepções herdadas sem reflexão, que geram tensões desnecessárias. Ajudá-la a se sentir melhor, conciliada consigo mesma, mais forte intimamente.

Muitas questões margeiam, direta ou indiretamente, nossas maiores inquietações metafísicas. As dúvidas acerca do que vai nos acontecer depois da morte atormentam e amedrontam um sem-número de pessoas. Muitos não conseguem se sentir confortáveis durante a vida porque o risco de morte existe, estando sempre presente. A hipocondria tem essa característica: o indivíduo só se sente seguro por alguns poucos dias depois de um complexo exame médico no qual fica constatada sua boa saúde. Imediatamente levanta hipóteses dramáticas diante de qualquer pequeno desconforto físico. Não se sente assegurado pelas estatísticas; não as leva a sério, pois sabe que sempre existe o risco de elas falharem justamente na sua vez.

Como viver em paz, aproveitando a vida como se fôssemos eternos, sabendo que a morte pode nos alcançar a qualquer instante? Esse tipo de desafio, entre outras questões existenciais relevantes, só pode ser motivo de reflexão se compreendermos que a psiquiatria é uma especialidade médica que faz fronteira, de um lado, com a neurologia e a neurociência e, de outro, com a filosofia e a sociologia. Assim, é necessário, por vezes, avaliar determinado problema pela vertente voltada para os aspectos existenciais; as avaliações de caráter religioso ficam excluídas aqui não porque as considero irrelevantes, mas porque fogem do contexto de um trabalho como este – afora o fato de eu não me ver com competência para avançar nessa área.

Voltando à hipocondria, por vezes penso que o único meio de abordar a questão e pensar em verdadeiro alívio para o terrível mal-estar dessas pessoas é que elas se tornem competentes para aceitar uma das propriedades mais relevantes e duras da nossa condição: a de que somos governados pelo que tenho chamado de princípio da incerteza; ou seja, não sabemos nada a respeito do que nos é mais essencial, não sabemos de onde viemos, para onde vamos, qual o sentido da vida e por quanto tempo ainda estaremos aqui. Alguns podem avaliar isso pelo lado trágico, qual seja, o de perder toda a disposição para viver em paz; outros podem entender nossa condição como um desafio instigante. Visto desse aspecto, o fato de não sabermos responder às perguntas que elaboramos cria um vazio preenchido definitiva e radicalmente pela dúvida. Cito de novo Ortega y Gasset, que dizia que o vigor intelectual de uma pessoa é medido por sua capacidade de tolerar dúvidas.

A dúvida é instigante, fonte de um eterno esforço criativo. Só somos como somos e construímos o mundo como ele se apresenta a nós hoje porque nossa existência está "alicerçada" sobre essa areia movediça da incerteza e da dúvida. A aventura de viver pode ser perigosa e sem garantias, assim como a de um trapezista que faz acrobacias sem rede de proteção; porém, é isso que a torna tão fascinante e instigante. A dúvida gera uma inquietação intelectual insolúvel e produz, nos que lidam bem com ela, um contínuo processo evolutivo. Quem se assusta com a incerteza e as dúvidas prefere se filiar a alguma doutrina pronta e respeitá-la sem questionamentos. Não são portadores do verdadeiro espírito científico, definitivamente ligado à ousadia de pensar por conta própria e, por isso mesmo, correr o risco de cometer grandes erros. Os erros – e as doutrinas equivocadas que daí derivam – não são graves, pois o tempo sempre se encarrega de varrê-los.

Tentar ajudar uma pessoa hipocondríaca a se livrar de seus medos exige que sejamos capazes de convencê-la a aceitar a realidade da nossa condição: aprender a lidar com a incerteza e, repetindo o dito de Epiteto, só se ocupar daquilo que depende dela. O fato é que a saúde de uma pessoa depende, ao menos em parte, de si mesma; a ela cabe se alimentar adequadamente, não fumar, beber com moderação, exercitar-se e realizar todos os procedimentos de saúde que a medicina preventiva tem sido capaz de desenvolver. Penso que, a partir daí, a pessoa deve entregar seu destino a Deus ou ao acaso, de acordo com suas convicções. Não cabe se ocupar ou se afligir demais com o que escapa da sua alçada.

Assim como não podemos nos afastar das grandes questões da filosofia ao tentarmos nos aprofundar no entendimento da mente humana, não convém negligenciar os aspectos da cultura em que vivemos nem o ambiente peculiar em que cada pessoa cresceu e vive. Muitas vezes existem contradições entre o contexto doméstico e o da sociedade em geral. Um exemplo simples disso acontece às pessoas que convivem com familiares que têm o hábito de comer muito e depressa. Não há como desconsiderar esse fato, pois aqui as tentações a que elas estão sujeitas serão maiores que em outros ambientes. Por outro lado, os padrões familiares entram em conflito com os da consciência oficial, hoje totalmente voltada para a magreza e para o cultivo da boa aparência física, cabendo a cada um se definir e exercer sua opção com determinação. Um jovem que se torne adulto em um ambiente familiar muito conservador do ponto de vista sexual poderá ter problemas ao tentar conciliar o que aprendeu em casa com o que observa ao seu redor. E assim por diante.

Do ponto de vista do ambiente cultural como um todo, temos vivido, quer sejamos a favor ou não, uma tendência mais individualista. O individualismo, como quase tudo, corresponde a uma faca de dois gumes: diminui a solidariedade e a intimidade até nos ambientes familiares – primos mal se consideram parentes nos dias que correm, filhos nem sempre se sentem devedores em relação a seus pais quando estes ficam mais velhos... – só tem afrouxado. Por outro lado, o individualismo provavelmente contribui favoravelmente para o avanço moral das pessoas, pois deixa de valorizar tanto a generosidade como virtude e aponta na direção de relações mais justas e equânimes.

Somos influenciados por todos os modelos de variáveis, inclusive aquelas elaboradas por nós mesmos durante a infância. Sofremos a influência das mudanças culturais que nós, os humanos, produzimos e nem sempre sabíamos quanto iriam nos influenciar. Tudo que nos acontece ganha alguma representação neurológica e também desencadeia uma série de reflexões e ponderações de toda ordem no interior de nossa mente. Tudo em nós é biológico; tudo em nós é ao mesmo tempo psicológico e social. Possuímos um amontoado de ingredientes que ainda estão longe de ser dissecados com rigor e precisão. Toda tentativa de alterar alguns aspectos do comportamento de uma pessoa deve levar em conta tanto essa complexidade como, principalmente, o fato de que ainda estamos muito longe de dispor de recursos tão eficientes quanto gostaríamos.

Devemos levar a sério a magnitude das dificuldades que enfrentamos para nos conhecer, para viver bem e, principalmente, para mudar qualquer item do nosso comportamento. Temos de levar mais a sério ainda as limitações do nosso conhecimento e dos recursos médicos e psicológicos disponíveis, o que torna descabida toda postura dogmática que exclua qualquer uma das limitadas possibilidades terapêuticas. É indispensável que se continue a estudar, pesquisar e tentar entender cada vez melhor como funciona o nosso sistema nervoso, assim como o modo como são construídos nossos pensamentos – e como eles se associam, formando conglomerados cada vez mais complexos –, os concretos, os abstratos e também os que determinam nossa forma de refletir sobre a ética e a moral.

Ao pretendermos ajudar um paciente a superar uma dificuldade que lhe causa grande sofrimento íntimo e/ou enorme constrangimento social, cabe lançar mão de todos os recursos de que dispomos, dispensando o apego ou o compromisso com quaisquer dogmas ou doutrinas. Muitas das melhores estratégias envolvem ideias extraídas de vários pontos de vista que, em vez de ser vistos como antagônicos, podem ser tratados como complementares. É o caso, por exemplo, do que se pode fazer em benefício de um jovem que, em virtude de um fato aleatório ou de inseguranças cultivadas ao longo da puberdade e adolescência, teve dificuldade de ereção na sua primeira tentativa de relação sexual. Muitos subestimam o sofrimento íntimo desses moços. O fato é que, até hoje e de modo bem mais intenso do que ocorre com as moças, a autoestima e a identidade dos rapazes dependem muito de seu desempenho sexual.

Esse tipo de experiência negativa, por ser muito intenso e traumático, determina o surgimento de forte ansiedade. O segundo fracasso decorre do primeiro: a preocupação com o próprio desempenho, capaz de tirar a atenção das trocas de carícias que estejam acontecendo. Isso tende a se perpetuar sem ter nenhuma relação com as causas do primeiro fracasso. Assim, discutir as razões da dificuldade enfrentada pelo jovem é parte de uma abordagem dinâmica e existencial, devendo corresponder à fase inicial do tratamento. Porém, será necessário criar condições objetivas com a finalidade de dissociar a ansiedade que se acoplou ao ato sexual – tarefa mais bem realizada por meio de um trabalho comportamental. Para tanto, é preciso criar um contexto em que as pressões sejam mínimas, o que inclui o caráter e a delicadeza da parceira. O ideal é que o rapaz consiga se relacionar com uma namorada com a qual se sinta confiante para confidenciar, ao menos em parte, seus temores e dificuldades. Porém, quando os moços estão muito assustados, temem ser objeto de ironia por parte das moças e raramente se arriscarão com alguma que seja do seu grupo de relações: aí o medo é maior ainda, pois eles temem que elas contem ao grupo seus fracassos.

Foi em função dessa dificuldade que Masters e Johnson, ainda no final dos anos 1960, passaram a treinar mulheres que eles chamaram de *surrogates*, verdadeiras fisioterapeutas sexuais cuja função era a de ajudar os pacientes a se livrar da ansiedade acoplada ao sexo. O anonimato certamente ajudava muito, além do fato de elas estarem preparadas para esse tipo de ajuda (um exemplo desse trabalho pode ser visto no filme *As sessões*, de 2012). Assim, o auxílio concreto e objetivo, associado à terapia de caráter dinâmico, costuma ser muito mais eficiente e contribuir para a rápida recuperação de um paciente sofrido. Se for o caso, o médico ainda poderá prescrever tanto ansiolíticos como também algum comprimido daqueles que aumentam a chance de ereção mesmo em condições em que a ansiedade predomine. Ou seja, o importante é ajudar o jovem a superar uma dificuldade que é vivida como extremamente dramática, a fim de que ele possa seguir em frente em sua evolução.

Numa grande síntese, os profissionais que estão mais voltados a ajudar aqueles que os procuram do que interessados em defender pontos de vista e ideologias não dispensam os recursos farmacológicos disponíveis, as diversas técnicas psicoterapêuticas – principalmente as de caráter cognitivo-comportamental – e as dinâmicas e existenciais; não desconsideram a eficácia das terapias corporais mais recentes, além das tradicionais práticas de meditação transcendental, ioga, exercícios respiratórios e relaxamentos de todo tipo. Afinal, esses são os únicos recursos de que dispomos para ajudar as pessoas a mudar. Talvez seja relevante voltar a citar aqui o "efeito placebo", nesse caso a "fé" com que cada terapeuta exerce seu ofício, seu empenho real em ajudar o paciente a evoluir. Estudos produzidos já na segunda metade dos anos 1960 mostraram que, mais do que o tipo específico de psicoterapia que o profissional usava como substrato teórico, valiam sua capacidade empática, seu amor pelo ofício e a capacidade de transmitir isso a quem o procurava. Acabaram por concluir que só existem dois tipos de psicoterapia: a praticada pelos bons e a praticada pelos maus terapeutas. E mais, que os bons terapeutas, independentemente da doutrina que defendiam, trabalhavam de forma eclética e muito similar.

Finalizo este capítulo registrando meu respeito por aqueles que, buscando todo tipo de informação e conhecimento, tratam de se empenhar continuamente na direção do autoconhecimento e do aprimoramento pessoal. Procuram avançar e superar limitações diversas. Fazem uma verdadeira autoanálise, não raramente sendo bem-sucedidos. Não me refiro aos que se furtam a pedir ajuda terapêutica por orgulho ou prepotência, aos que se acham capazes de resolver todos os seus dilemas e problemas por si mesmos e obrigados a isso. Falo daqueles que se deleitam com o ato de mergulhar dentro de si mesmos e, é claro, orgulham-se por ser capazes de se aprimorar e superar suas limitações, mas, quando não conseguem fazê-lo por seus próprios meios, não sentem pudor algum em buscar ajuda profissional.

seis

UM ÚLTIMO OBSTÁCULO: O MEDO DA FELICIDADE

O objetivo de qualquer trabalho psicológico é ajudar uma pessoa a realizar os seus sonhos. Isso, é claro, dentro dos limites razoáveis e de bom senso – não se trata de ajudar alguém a se tornar homicida. O intuito é o de contribuir para que dada criatura evolua emocionalmente e se torne competente para viver sozinha; venha a ser mais hábil no trato social e nas abordagens de caráter erótico ou sentimental; consiga ser mais determinada e menos perfeccionista nas questões de trabalho; torne-se mais disciplinada e senhora de seus desejos, vencendo a preguiça, a compulsão alimentar e tudo que estiver limitando o pleno exercício de suas potencialidades.

Quando o trabalho avança e tudo parece caminhar bem para que o final atenda às expectativas da pessoa, surge um imprevisto, qual seja, a tendência de o processo se interromper e até mesmo retroceder. Vejamos um exemplo: um indivíduo, com a ajuda dos recursos terapêuticos, se dispõe a se exercitar regularmente e seguir um esquema alimentar adequado por meio do qual deverá perder, digamos, seus 12 quilos sobressalentes. Tudo caminha bem e, depois de, digamos, 90 dias, ele perdeu dez dos 12 quilos ansiados. O que costuma acontecer? O afrouxamento da disciplina e a estagnação nesse peso; ou, ainda, a retomada dos velhos hábitos alimentares e a recuperação de alguns dos quilos perdidos, senão todos. A pessoa parece perder as forças justamente quando está prestes a realizar seu sonho.

Trata-se de um obstáculo estranho e inesperado, que parece demonstrar que existem em nós tanto forças construtivas como autodestrutivas, algo "para além do princípio do prazer", como pensava Freud. Ou seja, não buscaríamos apenas recompensas, diretas ou indiretas e sutis, como nos vários exemplos que registrei ao longo do livro – excluindo, é claro, os fenômenos relacionados com o estabelecimento de reflexos condicionados, tanto na formação dos hábitos como das fobias, nos quais os processos correm por conta apenas da biologia.

Essa tendência autodestrutiva parece se manifestar de forma particularmente intensa quando estamos prestes a realizar uma proeza, algo que exigiu de nós avanços emocionais e sacrifícios nada usuais. O emagrecimento é um bom exemplo, pois exige enorme empenho, assim como capacidade de administrar a ansiedade causada pela renúncia a uma compulsão que a apaziguava. O mesmo vale para o atleta amador que se prepara intensivamente para uma prova sacrificada e, não raro, se machuca na véspera ou nos primeiros momentos do dia especial em que se deleitaria com o fruto do seu sacrifício; ou ainda para aqueles que se preparam para um exigente exame de admissão e, na hora H, parecem esquecer o que estudaram, prejudicando-se justo no momento em que estavam prestes a realizar seu sonho profissional.

Meu primeiro contato com esses mecanismos de aparência autodestrutiva se deu na segunda metade dos anos 1970 em função do aprofundamento das minhas reflexões acerca da paixão. Foi ficando cada vez mais claro para mim que esse sentimento amoroso intenso acontece entre pessoas que têm grandes afinidades – tanto de caráter como de gostos, interesses e projetos de vida. O encontro é vivido de forma tão forte que parece mais um reencontro: é como se já tivessem sido parceiros em outra vida! Ao menos em tese, a paixão deveria se transformar em união estável, aumentando rapidamente o número de casais felizes e competentes para realizar seus sonhos românticos. Mas o que eu observava – e observo até hoje – não é isso. O fato é que a grande maioria das histórias de paixão termina com a separação dos que se amam. Os casais tendiam a atribuí-la aos eventuais obstáculos externos, comumente presentes nessas histórias. Assim, diziam – e ouço coisas parecidas até hoje – que não podiam se afastar de um casamento prévio com um parceiro pouco interessante mas dependente; que não conseguiam se ver longe do cotidiano dos filhos; que não achavam prudente deixar de lado significativas diferenças de idade, de raça, eventuais distâncias geográficas etc. Separavam-se da pessoa amada, renunciando a um vínculo amoroso de qualidade em favor de relacionamentos medíocres e não satisfatórios. Parecia cada vez mais claro para mim que as pessoas fugiam do amor de grande intensidade. Fugiam por medo, por sentir que se tratava de uma vivência "boa demais".

Até hoje me vejo perplexo diante desse fenômeno universal, em que cada um de nós parece ter uma "cota" de felicidade acima da qual surgem um medo enorme, uma sensação indefinida de ameaça, de que alguma coisa terrível vai nos acontecer. Parece mesmo que a expressão "Estou morrendo de felicidade" tem que ver com alguma variável sobrenatural. Aliás, pensando posteriormente sobre o assunto, percebi que toda superstição – que nos leva a rituais de proteção contra o mau-olhado, a ira dos deuses e a inveja dos humanos – tem relação com esse estranho mecanismo. Fazemos figa, batemos três vezes na madeira quando nos perguntam como estamos e nos vemos forçados a dizer, com sinceridade, que estamos indo muito bem.

Nada mais estranho, à primeira vista, do que a proximidade da felicidade provocar enorme sensação de medo e de ameaça como se estivéssemos entre a vida e a morte. Não espanta, pois, que tantas pessoas acabem fugindo dela, afastando-se do caminho que as aproximaria da realização de seus sonhos. Em muitos casos, o processo destrutivo não é tão radical, mas é suficiente para subtrair uma parte relevante do prazer que a pessoa poderia usufruir. Não raro, por exemplo, o indivíduo sai da concessionária dirigindo o carro novo com que tanto sonhou com pavor de bater. O medo não tem relação com o fato de se tratar de um veículo cujas peculiaridades a pessoa desconheça ou esteja pouco habituada a dirigir. O usual é que acabe provocando uma ligeira "escoriação" no carro, ralando o para-lama nalguma coluna de garagem. Isso provoca certa tristeza, mas parece apaziguar a pessoa, posto que a "coisa ruim" já aconteceu. E foi autofabricada!

Chamou-me a atenção o fato de o mecanismo autodestrutivo proposto por Freud surgir de forma palpável apenas quando a pessoa se vê diante de algo capaz de gerar grande felicidade. E isso não estava bem de acordo com suas observações; para ele, a destrutividade poderia se manifestar a qualquer momento e em variadas situações. Em síntese, penso que não temos uma tendência autodestrutiva de natureza instintiva, e sim padecemos de um mecanismo peculiar de sabotagem que se manifesta quando estamos bem perto de atingir nossas maiores metas. É como se, depois de nadar uma longa distância, temêssemos "morrer na praia".

As primeiras descrições de fenômenos parecidos com esse remontam à década de 1960, uns dez anos antes das minhas considerações acerca do "medo do amor" (1978). Tratavam do medo do sucesso profissional de certas moças que, segundo se pensava na época, teriam, em virtude dessas conquistas, grande dificuldade na área sentimental, uma vez que os homens costumavam preferir parceiras menos bem-sucedidas que eles. Talvez não fosse apenas essa a razão do temor, e sim o fato de elas ainda fazerem parte de uma geração de mulheres em que o sucesso profissional correspondia a uma conquista enorme e incomum.

De todo modo, é indiscutível que conseguir atingir todas as metas que se pretende e com as quais se sonhou tanto é raro. Poucos são os esportistas que não "tremem" na hora das maiores conquistas. Esses são heróis legítimos, pois conseguiram superar o maior de todos os obstáculos, o que vive dentro de nós e, desde 1980, tenho chamado de "medo da felicidade".

O medo da felicidade seria o responsável por esses processos autodestrutivos que só se manifestam na fronteira, no momento em que estamos prestes a alcançar algo que muito nos encanta e com o qual havíamos sonhado. A sensação de harmonia e felicidade é a primeira que se manifesta. Porém, logo em seguida aparecem uma inquietação, um medo difuso de não sei o quê. A pessoa fica felicíssima e, ao mesmo, tempo, se sente brutalmente ameaçada, como se de fato existisse uma espada sobre sua cabeça. A felicidade mistura-se ao medo, provocando uma sensação peculiar, difícil de ser descrita, mas muito fácil de ser reconhecida por quem já vivenciou esse estado.

O melhor exemplo dessa estranha mistura é o que acontece na paixão. Defino paixão como a associação de um encaixe sentimental de enorme intensidade com um medo de igual dimensão. Paixão = amor + medo! É uma vivência peculiar; corresponde a um "estado extraordinário" (Francesco Alberoni), diferente dos estados usuais porque a inquietação e a felicidade se misturam de forma indissolúvel. O apetite desaparece, o sono é mínimo, o pensamento torna-se obsessivo e só aquele amor e aquela pessoa parecem interessar. O medo manifesta-se, por vezes, na forma de temor de que o amado tenha desistido do relacionamento, o que indica quanto a própria pessoa reconhece o estado de paixão como difícil de ser tolerado (tanto pelo aspecto positivo como pelo negativo).

O par enamorado não pode ficar muito tempo sem se comunicar porque a sensação de ameaça é enorme; sim, porque ao medo da desistência do amado se associam fantasias acerca da brutal intensidade da dor relacionada com a ruptura. Tudo encanta e tudo provoca medo. E, se esses relacionamentos terminam, não é por força dos obstáculos externos que, em geral, também existem e têm relevância. Terminam porque os parceiros não foram capazes de superar o medo que a felicidade sentimental provocou. Os obstáculos internos sempre foram mais importantes, embora na literatura séria as histórias de paixão sejam sempre recheadas de problemas objetivos e terminem quase inexoravelmente com a separação dos que se amam, ou em morte.

É sempre bom registrar o fato de que alguns poucos casais se dispuseram a enfrentar o medo e trataram de encarar também os obstáculos externos para concretizar seu objetivo romântico. Não se arrependeram. A qualidade sentimental que os unia era mesmo ótima, de modo que a vida seguiu em concórdia. É claro que, com o fim do medo, aquele "estado extraordinário" se esvai, pois ele depende da aliança do amor com o medo. Sobrou "só" o amor, sereno, harmônico e rico em projetos em comum. O curioso é que qualquer novo avanço que o casal que se ama consegue fazer, por exemplo, reestruturando sua vida financeira e podendo se mudar para uma casa melhor, provoca, de novo, manifestações do medo da felicidade.

Uma das formas de expressão do medo se dá pela produção de pequenos incidentes destrutivos, similares ao exemplo que dei de ralar o para-lama do carro novo. Assim, o casal acaba se envolvendo em alguma discussão por motivo fútil, provocada por um dos dois mas não neutralizada pelo outro. Ou seja, estavam atrás de alguma coisa ruim com o intuito de "pagar um pedágio" ao medo e usufruir do prazer principal. Semelhantemente agem as pessoas que, tomando um copo de aguardente no bar, antes de ingeri-lo acham conveniente dar uma "parte ao santo". Destruir uma porção menor da felicidade visando preservar o principal pode parecer, num primeiro momento, um processo autodestrutivo; porém, a real intenção é cuidar do mais importante. Assim, até nos processos aparentemente destrutivos relacionados com o medo da felicidade o que está em jogo é algo construtivo, pois o intuito é o de abrir mão de uma parte menor para garantir, ainda que por meio simbólico, a manutenção do que nos é caro.

Afinal, qual a origem desse fenômeno? Por que somos assim? Por que não podemos usufruir com tranquilidade a harmonia e a serenidade que nos assola quando finalmente resolvemos a maior parte de nossos problemas e nos encontramos num estado quase paradisíaco? A descrição do fenômeno foi feita por meio de exemplos cuja existência é indiscutível; assim, não há como negá-la. A hipótese explicativa que descreverei a seguir é uma mera possibilidade, algo que para mim faz sentido e está em sintonia com várias outras constatações que tenho feito a respeito da psicologia humana. Se corresponde ou não a uma aproximação interessante da verdade, o tempo se encarregará de responder. Aqui a coloco com muita convicção, pois é um ponto de vista que me acompanha há mais de 30 anos e nenhuma outra hipótese me surgiu para explicar melhor o fato indiscutível de que a felicidade provoca um medo irracional, que pode contribuir drasticamente para que nos afastemos de nossos maiores objetivos.

Penso que o medo da felicidade tem relação direta com o "trauma do nascimento" (Otto Rank). Sempre me emociono ao pensar na nossa origem, na forma como somos gerados e no nascimento. A condição uterina pode não ser perfeita, mas é muito mais próxima da homeostase do que qualquer outra condição que vivenciaremos nos tempos iniciais depois do parto. Por séculos, os médicos não se condoeram com as dores que as mulheres sofrem durante o parto. Em meados do século XX, passaram a atentar para a necessidade de atenuar o sofrimento delas; passou-se a falar em "parto sem dor" – mas só para a mãe. Anos mais tarde, surgiram as primeiras indicações de que seria conveniente atenuar também o sofrimento do feto. Apareceram as primeiras manifestações acerca de "nascer sorrindo" (Frédérick Leboyer, autor da obra publicada uns 40 anos depois do livro de Rank), hipótese improvável, mas marco do início de alguma preocupação com as dores do parto também do ponto de vista do bebê.

Do ponto de vista da psicanálise, pouca ou nenhuma atenção se deu ao assunto e, até hoje, desconheço publicações que tratem desse que considero o nosso trauma inaugural e, talvez, o maior de todos: estávamos em uma condição de relativa harmonia e de lá fomos expulsos de um momento para o outro. É claro que não dispomos de registro verbal do acontecido. Porém, acredito que nosso primeiro registro cerebral seja o da harmonia e o segundo corresponda ao nosso *big bang*, ou seja, à explosiva e dolorosa ruptura da aliança na qual nos alimentávamos automaticamente, o mesmo acontecendo com a eliminação de detritos; nem mesmo respirar necessitávamos.

A criança nasce em pânico, e até hoje não dispomos de meios adequados para atenuar esse trauma. É claro que considero válidas todas as tentativas nessa direção, pois se formos capazes de aconchegar melhor um ser que nasce totalmente desamparado, não entendendo nada do que lhe está sucedendo e vivenciando dores e desconfortos até então desconhecidos, só poderemos estar lhe fazendo enorme bem. Aos poucos, a maior parte das crianças se concilia com a nova condição e aceita os atenuadores da dolorosa sensação de desamparo que agora estão à sua disposição – atenção e carinho da mãe e de outros adultos, o prazer oral da amamentação –, assim como se familiariza com as dores físicas que nos são próprias.

Porém, penso que nosso cérebro registra tudo isso como uma dramática experiência, como um trauma intenso que provavelmente ganha registro definitivo em nosso sistema nervoso. Assim, se o trauma do nascimento não é algo genético, acaba funcionando como tal porque todos passamos por ele – sendo impossível imaginar, ao menos por ora, uma transição da condição uterina que não seja traumática. O registro bíblico disso sempre me impressionou e o cito de novo: nascemos no paraíso e dele fomos expulsos!

Fica fácil entender que, em maior ou menor dose, o trauma do nascimento está presente em nosso cérebro e acabará por interferir em nossa vida futura. Penso no tema da mesma forma que penso sobre as fobias em geral: uma experiência traumática deixa um registro e o temor de que, em circunstâncias similares, possamos passar pela mesma vivência dolorosa. Assim, estávamos no útero, onde tudo estava ótimo. O que aconteceu depois? A ruptura desse equilíbrio e o início de todas as nossas dores humanas. Como isso funciona em nossa mente? Cada vez que chegamos perto de uma condição de equilíbrio e harmonia que lembra a situação paradisíaca do útero entramos em pânico, pois passamos a temer uma nova hecatombe, similar à que aconteceu quando fomos expulsos de lá. O que fazemos? Fugimos dessa situação, pois tememos que ela nos traga outra dor, nova transição que agora seria a morte – nossa ou de alguém que nos seja muito importante.

A propósito, penso que o medo da morte não corresponde efetivamente ao que nos espera. Acho que se trata da projeção para essa outra transição das dores que sentimos ao nascer. O semblante dos que estão morrendo costuma ser sereno, ao contrário do pânico visível nos neonatos. Aliás, quase tudo que Freud associava com a morte – destrutividade, busca de serenidade e harmonia – eu penso ter relação com o que vivenciamos antes de nascer e com o trauma que essa transição representou para nós. É mais fácil buscar e temer algo que, de alguma forma, já vivemos do que ter sensações similares a algo que desconhecemos e com cujos detalhes só depararemos oportunamente.

Voltando ao medo da felicidade, acho que ele deriva dessa experiência traumática que nos leva a fugir de toda situação muito boa por medo que a ela se siga uma tragédia. Nada tem mais relação com a origem do trauma do que o fenômeno amoroso, no qual encontramos alguém que parece ser nossa "outra metade" (Platão) e cuja sensação de completude lembra a fusão uterina.

Assim, o medo da felicidade amorosa é a maior de todas as manifestações dessa nossa fobia original e terrível. Não espanta que tanta gente ousada e determinada se acovarde diante desse modelo de felicidade e, a pretextos vários, encontre um modo de se afastar dela.

Fugir da felicidade sentimental rompendo com o amado corresponde a uma maneira radical de lidar com o medo. Trata-se de uma renúncia grave, ainda que feita a pretexto de preservar a própria vida ou a de pessoas queridas. Outros modos, já citados, correspondem à busca de motivos fúteis para que se formem tumultos e brigas desconfortáveis capazes de perturbar boa parte da felicidade que se poderia viver. Aqui a destrutividade parcial visa preservar o principal. É como qualquer promessa: abrimos mão de alguma coisa boa em favor da preservação de outras, maiores e mais relevantes. Assim parece funcionar nossa mente quando se trata do medo da felicidade – aceitamos prejuízos de dimensões variadas em favor da preservação do principal. Negociações que, embora ridículas, parecem apaziguar a mente de muitos de nós.

Um aspecto curioso, e não raro nas fobias em geral, é que o medo da felicidade não se instala de imediato. As crianças não costumam se sentir limitadas na sua capacidade de obter alegrias e felicidades de todo tipo. Podem ir a um parque cheio de brinquedos, ganhar todos os tipos de presentes, doces e recompensas e, à noite, perguntar: "E agora, o que mais vamos fazer?" É curioso, pois para os adultos existem cotas, ou seja, depois de ganhar certa dose de presentes ou de momentos de alegria, a pessoa para, diz que por ora basta, que se esgotou sua capacidade de ser feliz.

O trauma se dá ao nascer, mas sua manifestação acontecerá anos depois. Assim como ocorre com outras fobias, é como se a vivência apavorante ficasse "encapsulada" no cérebro e só se rompesse na puberdade, talvez por influência do que os adolescentes observam acontecer com outras pessoas que, por força de doutrinas religiosas – e será que estas não foram, um dia, forjadas em consequência desse curioso medo que nos habita? – ou de outras causas, acabam se agregando ao modo de ser de cada novo membro adulto da comunidade. Em doses que podem ser variadas, o medo da felicidade é universal. Todos temos um limite de fatos positivos que podemos "suportar" sem dar sinal de desconforto, medo ou manifestar tendências autodestrutivas. Assim, muitos mecanismos tidos como autodestrutivos estão relacionados com o medo da felicidade, sendo uma forma, a meu ver equivocada, de lidar com ele. Reafirmo: destrói-se uma parte, maior ou menor, mas no intuito de garantir a preservação de algo percebido como mais relevante.

Ao depararmos com um medo irracional, como é o caso do medo da felicidade, não penso que devamos tentar "negociar" com ele, abrindo mão de uma parte do que nos agrada para usufruirmos do principal.

Penso que o sábio é se munir de coragem e enfrentá-lo, posto que ele não corresponde a nada de efetivamente ameaçador.

Finalizo com uma má notícia, uma boa e outra ótima. A má é que não dispomos dos meios, ao menos por ora, de nos livrar do medo da felicidade. Creio que tudo que em psicologia não tem solução deve ser pensado em termos de "administração". O simples fato de termos ciência desse tipo de fobia já nos permite tomar várias providências de caráter construtivo capazes de atenuar seus efeitos maléficos, especialmente aqueles que nos levam a atitudes autodestrutivas.

Cada vez que me vejo diante de um acontecimento muito gratificante sei que me sentirei inseguro, amedrontado e propenso a fazer alguma bobagem. O que faço? Recolho-me, vou para casa, fico bem quieto e tento me acalmar. Sei que em horas ou dias o medo se atenuará e não mais agirei contra os meus interesses. Trata-se de uma solução mais sábia do que ir a um bar festejar, beber – a propósito, o álcool parece atenuar momentaneamente o medo da felicidade –, gabar-me do que fiz e elaborar planos mais ousados acerca do que ainda pretendo fazer. No dia seguinte, é possível que o medo esteja maior e que eu me veja em condições ideais para ser vítima de um golpe destrutivo praticado por mim contra mim.

A consciência sempre nos ajuda, mas devemos estar em contato com a nossa consciência maior, aquela que sabe que o medo da felicidade existe. A consciência oficial pode ser negligente em relação a sua existência, e, ao desconsiderarmos esse mecanismo, talvez tenhamos de pagar um preço desnecessário e inútil. Administrar é ter consciência de que carregamos mecanismos que gostaríamos de não possuir e não negligenciar sua existência. É preciso estar alerta a si mesmo o tempo todo.

A boa notícia: temos grande capacidade de adaptação a novas condições, sejam elas piores ou melhores. Adaptamo-nos a limitações físicas que possam nos acometer ao longo da vida, adaptamo-nos a perdas financeiras e a quase todas as grandes adversidades que porventura tenhamos de enfrentar. Adaptamo-nos também a novas condições mais favoráveis, parecendo, depois de certo tempo, que sempre estivemos lá. Assim, o problema do medo da felicidade parece residir apenas no período da transição de uma condição pior para outra melhor. É desconforto passageiro.

A ótima notícia: felicidade não mata!

Grupo Summus
www.gruposummus.com.br
www.gruposummus.com.br
Acesse, conheça o nosso catálogo e cadastre-se para receber informações sobre os lançamentos.

www.gruposummus.com.br